美術の今
～コロナ禍の表現とは～

美術年鑑
art annual
2021
別冊特集

美術年鑑社

［凡例］

◉「美術の今　コロナ禍の表現とは」は、新美術新聞2020年7月1日号から11月21日号まで断続的に掲載したアンケート・寄稿類を基に、再構成した。

◉紙面掲載時から肩書の変更があった場合、本誌編集時のものに改めた。

◉美術家の掲載順は、日本画家、洋画家、彫刻家、工芸家、書家の順に、その中で五十音順を基本とした。

ごあいさつ

2020年、世界は新型コロナウイルス感染症の拡大により、過去体験したことのない困難に直面しました。人と人が直接顔をあわすことも、移動の自由も制限され、自宅から出ないことを推奨される事態となりました。

美術家は発表の機会を失い、美術館・画廊は止む無く閉館・閉廊を続けました。人々の努力は明白ですが、今もまだ、世界中で感染は広まりつづけています。

弊社刊行の「新美術新聞」では、緊急事態宣言下の同年4月の第1弾から第9弾にわたり美術関係者へアンケートや寄稿の依頼を行いました。当時、表現者たちは何を考えていたのか、また、これからの美術界はどう変わっていくのか。コロナ禍の記録であり、未来への提言でもあったさまざまな声を、『美術年鑑2021年版』別冊『美術の今』としてここにまとめました。

後半では、美術家を中心とした約500名の方々による手書きの一字をあつめた特集「漢字一文字五百曼陀羅」が掲載されています。肉筆ならではの力を、感じとっていただければ幸いです。

その中に、ノーベル生理学・医学賞（2015年）を受賞し、美術を愛する大村智氏の一文字もあります。書かれたのは「夢」。希望を信じ、実践されてきた生き方が強く感じられます。凛とした「夢」の文字を、ぜひ探してみてください。

さらに、満104歳の入江一子先生と、100歳となる野見山暁治先生にも漢字一文字をお書きいただきました。花を添えていただき、心より感謝申し上げます。

『美術年鑑』は来年の2021年版にて、55回目の刊行となります。個人的な話で恐縮ですが、私は先代の油井一二のもと、昭和41年（1966年）より『美術年鑑』の出版に携わってまいりました。長きにわたり出版を続けることが出来ますのは、諸先生方はもとより、関係各位のご指導ご支援の賜物と深く感謝申し上げる次第です。

尚、来年（2021年）9月には、新美術新聞が昭和46（1971）年9月の第1号刊行から創刊50周年を迎えます。引き続き、ご愛読をよろしくお願い申し上げます。

このたびの未曽有のコロナ禍を――いかに生き抜くべきか――私事として真摯に考えた結果がこのたびの冊子であります。微力でも美術業界を繋ぐ一助になれれば幸いです。

最後に、本冊子の作成にあたりご協力くださいました方々に深く感謝申し上げます。そして、読者の皆様にも、数々のことばと「一文字」によって、将来へ歩む力が生まれることを願っています。

2020年11月

美術年鑑社代表取締役社長　油井一人

目次

〈表紙の作品について〉

小鶴幸一「幾何学的Ａ・ＭＡ・ＶＩＥ」

青、緑、赤、白、黒の色面とグリッドのみで描かれた妖怪アマビエ。疫病退散の願いとともに、フランス語で「我が人生に」との意もタイトル「Ａ・ＭＡ・ＶＩＥ」に託している。

小鶴幸一 Profile
１９４８年福岡県生まれ。72年武蔵野美術大学卒業。74年渡仏、パリ国立美術大学留学。85年サロン・ドートンヌ会員となる。91年帰国。ギャラリー58などで個展を開催。五色の限られた色彩とグリッドから、簡素にして緊張感のある表現を探求する。

インタビュー

大村智・北里大学特別栄誉教授に聞く

新型コロナと21世紀の行方

「新美術新聞」2020年6月11日号1面より転載

大村智・北里大学特別栄誉教授
＝2017年撮影＝

終息は段階的、「変化」への対応を

——新型コロナの影響が続く世界と日本の現状について。

大村　とにかく凄いですね。5月10日の時点で世界の感染者数が約394万人で死者数が27万6000人余、死亡率は6・9％。100人感染すると7人近くが亡くなるということになります。日本の感染者数は同日で約1万5000人、死者数が約600人ですから死亡率は約4％です。世界に比べたら少ないですが、それでもこれだけの人が亡くなっています。政府の発表によると感染者は少なくなっていますが、これからもまだまだ続くし、波を打ちながら段々終息して行く、という考え方を持っていた方がよいと思います。

——今後の展望について。

大村　世界の経済はリーマンショックの時より悪くなるかもしれません。そのなかで、世界で一番お金を持っている中国が、そのお金を使って様々な影響を及ぼし、これからの世界経済は、中国に頼らない国と、中国寄りになって行く国と二分されるのではないか、と感じます。

また、この状況下で分かったことは、特に日本は安全保障上危険なことをやってきていたと思います。例えば多くの部品を中国で製造し輸入してきたなかで、一旦ストップすると日本で製品が供給されなくなる。日本は単に儲かればよいというのではなく、儲からないものでも安全保障の面を考えながら国内でつくれるようにしておくこと、あるいは地域を分散することが大切です。製造業はもとより医療でも、自給率が低い食料でも、今回のことを活かして、今後の体制をつくって行くことが大事だと思います。

また、現在、国も支援していますが、企業の倒産を極力避けなければなりません。企業が倒産することは、そこで働く人が職を失うことになります。まず企業を助ける。同時に生活困窮者を助ける。このことが喫緊の課題ではないでしょうか。

――国民生活では政府による「新しい生活様式」が打ち出されました。

大村　生活面はこれから大きく変わって行くと思います。現在も在宅勤務が奨められ、オンライン診療が話題になっていますが、これらはさらに重要になってくるでしょう。対面診療も必要ですが、オンラインでの診療は増えてくるでしょう。

そのように社会が変化するなかで、美術、芸術も今後どのように対応して行くかが重要です。美術館、画廊、作家でも、今までのように元に戻ればよいのではなく、個人も組織も「変わる」ということを真剣に考えなければならないと思います。

一方で、ソーシャルディスタンス（社会的距離）により人と人との親密さが薄れて行く世の中になっては困る訳です。医療ではお医者さんに背中をさすってもらうだけで、何となくよくなる、ということもある訳です。しかし、今までとは全く違うものになることを考えなければなりませんね。

「芸術は人々の魂を救い、生きる力となる」

――館長を務める韮崎大村美術館でも様々な取り組みが行われています。

大村　臨時休館中（２０２０年５月当時）の当館では、「おうち美術館」と題し、家庭で自粛生活をしている皆様に少しでも楽しんでもらえるよう、開催予定だった「生誕１１０年 荘司福展」（6月1日より開館）の展示作品をインスタグラムやYouTubeなどのＳＮＳで動画配信し、大変好評を頂いています。つまり、経済が厳しい状況でも、人々を美術を始めとする芸術から離してしまっては駄目なんです。

このような時だからこそ、人々を導いて興味を持ってもらうことが大事なんです。それには美術館であれば、いかに絵画や芸術に興味を持ってもらえる人を、一人でも多く増やしていくか。

私はこれまで「芸術は人々の魂を救って、生きる力を与えてくれるもの」という信念から、なるべく多くの人に美術や芸術作品を見てもらいたいと、病院の中に絵画を飾ることも実践してきました。

——現在、公募展の中止や延期、画廊の休業も相次いでいます。

大村　年1回を基本とする公募展も、今まで以上に選抜展やグループ展などこまめな展示をしてはどうでしょうか。そのためには、美術や芸術を通して「世の中に貢献するんだ」「人々の魂を救ってやるんだ」という意気込みを、百貨店や画廊、美術媒体を含め皆で持つことが大切です。「厳しい時代が来ても泥沼から這い上がった人間こそが本当の絵描きになるんだ」ということを日本画家の堀文子先生も仰っていました。今はそういう厳しい時代だと思ったらいいじゃないですかね。そのためには、いかなる時にも自然と向き合い、自然から学ぶという姿勢が大切です。

次なる感染症も見据えた北里プロジェクト

——3月には学校法人北里研究所として「新型コロナウイルス感染（COVID-19）対策北里プロジェクト募金」を設立されました。

大村　日本の細菌学の祖である北里柴三郎先生（1853～1931）が創設された北里研究所・北里大学には、感染症対策として体に抵抗力をもたせるためのワクチンの開発と、抗生物質などの化学療法剤の開発と、両方の研究が出来る体制が整っています。同時に北里先生は100年も昔、「これから感染症は次々とやってくる。ただし、感染症に対する正しい知識をしっかり持って行動していれば怖くはないんだ」という予防医学の重要性も提唱されています。今回でもマスクを着ける、うがいをする、手や目鼻を洗うことが生活の基本です。一つでなく全てをすることで予防に繋がる訳です。現代は抗菌と呼ばれる製品が多く、これに頼り、この基本が習慣化されていない面がありますが、昔からある習慣がまずは大事なんです。

先頃、北里研究所は1世紀以上の伝統に則って北里の叡智を結集して、この世界的な困難を克服できるよう注力すべく、「COVID-19対策北里プロジェクト募金」を設立しました。私は「このプロジェクトは、差し当たってはコロナだけれど、コロナだけで終わっては駄目だ。この経験はさらなる抗ウイルス剤の発見・開発に向けたものでもある」と言っております。これからもいろいろなウイルスによる病気が起きてくることを、考えていなければならない。それに対応出来る薬を見つけましょうという思いです。

――既存薬への期待も高まっています。

大村　私共が開発した「イベルメクチン」も有望だと思っています。既に医師主導の治験は始まっていますが、この感染症に対する効果が実証されれば、こんなに良い薬はないと思います。これまで熱帯地域でまん延するオンコセルカ症等の特効薬として、毎年3億人以上の人々が服用し、数十万人の人々を失明の危機などから救っている薬で、安全性もあります。お医者さんや看護師さんがいないアフリカの村ではボランティアの人がこの薬（錠剤）を村人に配っているんです。副作用が心配であればこのようなことは出来ません。国内では糞線虫症、ダニによる疥癬《かいせん》の特効薬としてどの病院にもこの薬が備わっています。諸外国でコロナでの効果も実証されており、世界的に期待が高まっております。

――2024年度発行の新千円券には北里柴三郎の肖像が採用されました。

大村　造幣局は非常に良い選択をしてくださったと思っています。裏面は世界的に知られている葛飾北斎《富嶽三十六景『神奈川沖浪裏』》ですから、大変なお札になりますね。北里先生はドイツ留学で、世界で初めて破傷風菌の純粋培養と血清療法を確立しました。昔は、医学と言えば細菌学で、感染症が一番大変な病気でした。そして今、私は「こういう時、北里先生であれば、どうするか」ということを考えながらやっています。実際には、若い教授陣らが頑張ってくれています。国からの支援と共に、一般の皆様からのご支援もお願いしております。

――本日は貴重なお話を有難うございました。

（※電話取材　新美術新聞編集長・油井一八　2020年5月11日）

韮崎大村美術館
山梨県韮崎市神山町鍋山1830-1　TEL 0551-23-7775
アクセス：JR中央本線「韮崎駅」下車、タクシーまたは市民バス約10分

おおむら・さとし
1935（昭和10）年山梨県韮崎市生まれ。微生物の生産する天然有機化合物の研究を専門とし、50年にわたる研究生活の中で、新規化合物を約500種発見。その内26種が医薬、動物薬、農薬、研究用試薬として市販され、感染症などの予防や撲滅、生命現象の解明などに貢献する。2015年イベルメクチンを共同開発したドリュー大学名誉研究フェローのウィリアム・キャンベル博士と共にノーベル生理学・医学賞を受賞。現在、北里大学特別栄誉教授、韮崎大村美術館館長、女子美術大学名誉理事長。

美術家の今――その行方――

我々はコロナ禍から何を得るのか

【質問項目】
①現在の日常生活と、作家としての制作について
②公募団体展、グループ展、個展などの中止・延期について
③作家同士の連携や、地域社会との関わりについて
④国内の美術界は今後どうなっていくか
⑤美術家として何ができるか
⑥その他

（初出：新美術新聞２０２０年７月１日号２、３面／７月11日号２、３面／７月21日号２、３面／８月１・11日号２面）

美術団体の今——変革と前進——

我々はコロナ禍に何を見るのか

（初出：新美術新聞２０２０年8月21日号2、3面）

千住　博［日本画家］
京都芸術大学教授　１９５８年東京都生まれ

美術のゆくえ

コロナ禍の新しい日常は、オンライン、デジタル化の流れを加速しました。

一時的な緊急避難ではなく、それが多くの人が予測していた未来だったため、２０１９年までの世の中に「戻る」ことなく、社会はデジタルを軸にして更に展開していってしまうと言われます。

しかし、今のデジタルは、視覚と聴覚に偏った不完全で未完成なメディアです。

これで人間存在の全てには対応できません。

デジタルだけでは人間は生きていけないのです。

歴史を紐解き、芸術の足跡を考えてみると、その時その時の人間性に不可欠な意識や提言を、芸術によって社会が補完する形で、世界は展開してきたことがわかります。

これからの時代、デジタルでは表現できないことが、主な芸術の役割になるのではないでしょうか。

すなわち人間の五感にきちんと対応する立場を担うのが、これからの芸術という存在なのではないか、と私は思うのです。

触覚、痕跡、温かみ、意外性、驚き、香り、味、一回性、即興性、実感、ハンドメイド感……デジタルにできないことは様々ですが、これらに重なる様々な芸術の属性が真価を発揮する時代が来ているのだと私は見ています。

絵画の素材感や工芸、彫刻の、ややもするとまどろっこしさを伴う表現も、むしろアナログな人間存在に対応する温もりのある価値でもあったのでしょう。

個人的には、コロナ禍の日々、彫刻の持つリアルな試行錯誤を経て形になってゆくプロセスに、とても惹きつけられています。

そして工芸の手に取った時の感触は、３Ｄプリンターでは到底味わうことのできない豊かさをもたらしてくれることを知りました。

油絵のマチエールは、その人らしさの溢れる思いの表れであったと改めて気付きました。そして毎日、自分で岩絵の具を溶き、和紙に塗る感覚が、私には確かさのある幸福感をもたらしてくれることを実感する毎日です。

かつて、岡本太郎は、芸術とは煎じ詰めれば人間であり、芸術的感動とは、人間的感動だと看破しました。岡本太郎の言葉が、非人間的なデジタル優位の社会で人間らしく生きていくために、今何が大切なのかを考えさせてくれる重要な鍵になるのではないでしょうか。

千住博「Cliff」
2020年　145.5×112.1cm　雲肌麻紙、天然岩絵具、プラチナ泥

土屋禮一〔日本画家〕

日本藝術院会員、日展副理事長
１９４６年岐阜県生まれ

①　個展の予定もあり、その構想に今は家にいる時間をプレゼントされたようで、心の贅沢を楽しんでいます。なんと毎日が手帳の予定を優先に過ぎていたことか。独りゆっくり流れる時間を感じています。

②　出品しようと思っていた春の展覧会も中止、その後やればやるほど納得いかなくなり、しかしやればやるほど手応えはある。結果に左右されない経過を楽しむ、あるべき姿に出会っております。

⑤「美術館への巡礼の時代」と表現した先人がいましたが作品を観るとは他人を理解するばかりではなく、新たな自分に出会うこと。コロナウイルスも又、新たな時代の生き方の始まりのようです。若い世代は私達の未来です。これからの画壇と云う大地の大切さを考える機会になればいいですネ。

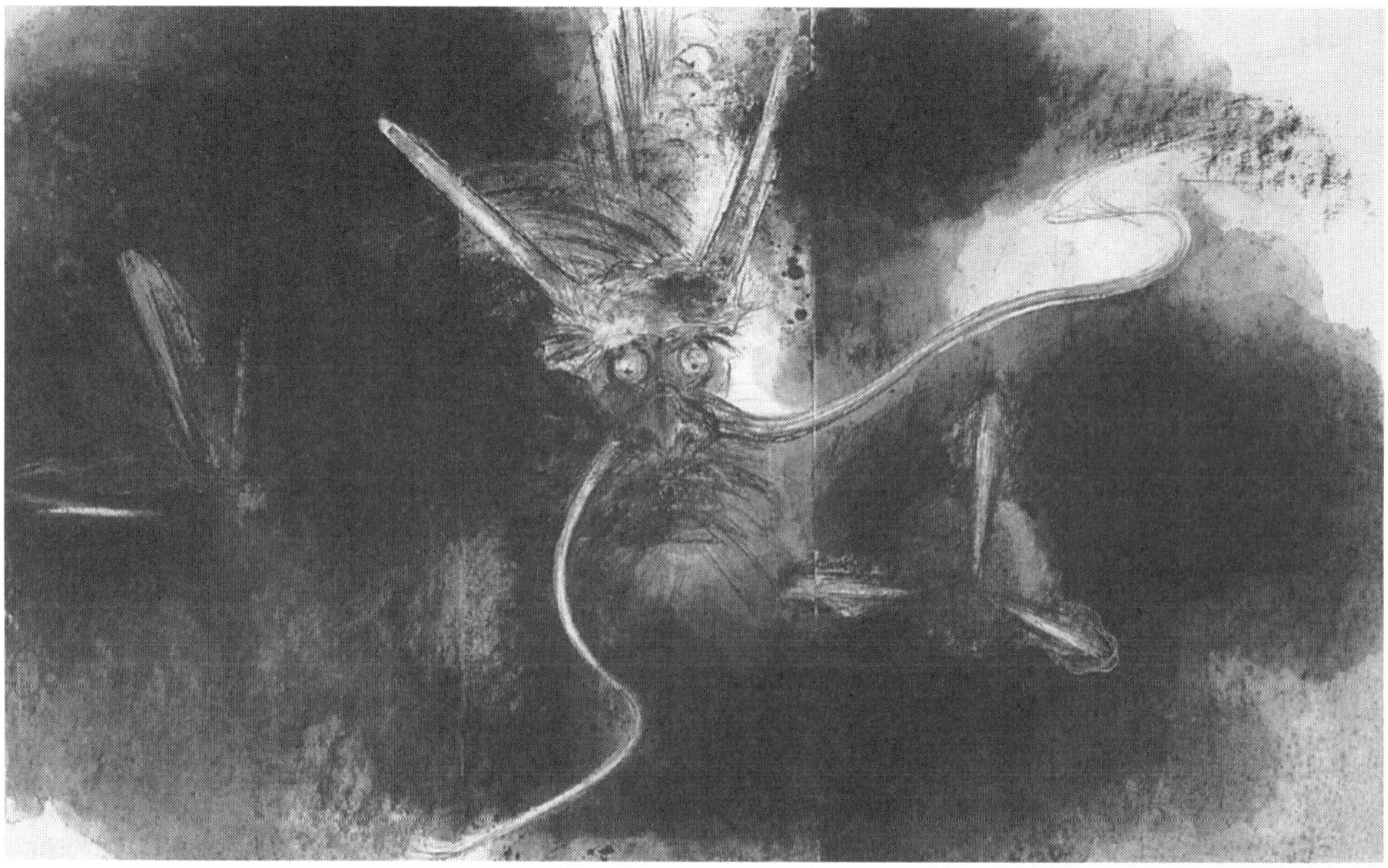

土屋禮一「瑞龍図 下絵」
1998年　58.1×92.0cm　紙本着色・パネル

那波多目功一　［日本画家］

日本藝術院会員、日本美術院代表理事　1933年茨城県生まれ

①　難しい題材のため、手がつけられなかった作品の数々、壁にぶつかり、跳ね返されながら日々、挑戦しております。

②　院展の地方展、すべて中止となりました。コロナウイルスの流行が落着いて、地方展が一日も早く開催されます事を願っております。

③　ひたすら家にいて、人との接触を極力さけております。

④　コロナウイルスが流行する以前から、美術界の今後はどうなるのだろうと思っていましたが、時間が止まってしまっている今、今後どうなるのか、私には全くわかりません。

⑤　美術家として何が出来るかと問われると、何も出来ない非力な人間である事をつくづく思い知らされております。

⑥　願わくば、多くの方々が美術に対して深い趣味をもっていただければと願っております。

西田俊英　［日本画家］

日本藝術院会員、日本美術院同人・理事、武蔵野美術大学教授　1953年三重県生まれ

①　ステイホームなので、アトリエで制作しております。時間ができた分、研究や勉強に時間を当てることができるので、より良い作品が描けるかと思います。

②　春の院展開催中に日本橋三越本店も休業になり、その後の巡回展も中止、もしくは未定になっています。個展（「化身の如く　西田俊英日本画展」）も3月に名古屋栄三越で開催しておりましたが、皆様外出が不安のようで、お客様のご来場はとても少なかったです。

③　展覧会のレセプションや会議などもなくなり、会う機会もなく、電話で連絡をとるぐらいです。大学のオンライン授業が始まるのでこれから忙しくなります。

④　景気も低迷するので、芸術家は大変になると思います。

⑤　インスタグラム（https://www.instagram.com/shunei_nishida/）で作品を紹介し始めました。若者が多く、絵の勉強や参考の為に見てくれているようです。描くことをしない人びとには癒しや元気を与えることができているようです。遠く海外からもアクセスしてくるので、小さい画面でも感動を与えることができると思うと、こちらも嬉しいです。
⑥　ネット社会に移行してきているので、より一層の作者の著作権が守られて欲しいと思います。

平松礼二［日本画家］

1941年東京都生まれ

①　生きものの歴史がある限り、細菌類は共存すると聞いた。今は躊躇することなく逃避。逃避先は自宅のアトリエ（といっても毎日のことだが）。報道では2ヶ月余りかもしれないらしいので期間中に没頭できるサイズのカンバスを用意した。凡そ1000号になる。恒例の外国への旅を思いCDの音量をいっぱいにして。空路でよく聞いたマントヴァーニ・オーケストラやロンドン・フィルの名曲を聞き乍ら逃避生活をやり過ごしている。〝泰然自若〟でゆこう。
②　グループ展・個展などいくつかが延期になったものの、社会全体が穏やかになった折の開催が最適と思う。やがてその日が再来すると信じて。
③　この世界的な混乱が収束し平穏なくらしが復活すれば新しい社会形態が生まれ、新しい時代がやってくる。その時、過去、現在を継承と総括をしつつ、未来への創造を大胆に実行してゆければと思う。

福田千惠［日本画家］

日本藝術院会員、日展理事　1946年東京都生まれ

①　今は緊急事態宣言の日々（5月25日より全面解除とのことですが）でしたから、私自身とにかく外出は避けています。元来春になるとライフワークであるフラワーパーク、植物園に出かけていますが、今年は我が家の庭にてゆっくりスケッチをしています。「花は私に明日という日を与えて呉れる」。

②　苦渋の選択ですがクラスターがおこる中、作家同士はもとより鑑賞者にうつさないよう中止は良かったと感じています。今後終息は難しいと思います。展覧会の様子はこれから変化すると思います。
③　マスクのない日々、友人より頂きとてもうれしく感謝しています。私も旧友の絵描き友達に差し上げました。これからはもっと日常より互いに声を掛け合うことが大事に思う。オンラインでの会話はできませんので、地域への応援メッセージを渡すぐらいです。
④　私自身は暗中模索です。美術の世界もデジタル化に入っていくのでしょうが、正直、肉筆の魅力はすばらしい。日本の文化のルーツを見ていると変らないものは変らないと思います。
⑤　新型コロナウイルスの日々を暮らしていると心の有り様が大切で、美術家の一員として文化に貢献したいと思います。
⑥　生涯、学習の日々。一生は長いようで短い。

村居正之 ［日本画家］

日本藝術院会員、日展理事、大阪芸術大学美術学科長　1947年京都府生まれ

①　市からはほぼ毎日、陽性者の方が出ているという発表が続いています。在住する大阪府は特定警戒都道府県でもあり、知事も率先して施策を打ち出しています。陽性者の方が出て休業となったスーパーも近場にあり、極力買いものの回数を減らしたり、テイクアウトや出前をとるなど、ステイホームを心掛けています。一方で、勤務先の大学のウェブ授業や自宅学習の課題にむけ、ＬＩＮＥやZoomなど慣れないデジタル機器の操作に悪戦苦闘しています。
②　日展大阪展が開幕1週間で美術館が休館してしまいました。青塔社展も開催は難しいでしょう。私自身もですが、多くの作家にとって作品を見て頂く機会が失われることが悔しくて仕方ありません。
③　作家仲間とは、電話やＬＩＮＥでやりとりをしていますが、実際に対面するのよりは、どうしても不十分な気がします。近隣に住む孫も保育園に行けなくなってしまった為、ほぼ毎日遊び相手をさせられています。近所の休校中の子供達とも顔見知りになりました。

④　美術界の先細りが心配です。私もですが、多くのカルチャーセンターなども休みとなっており、また、再開後も休業前の水準に戻るのか不透明です。しきりにオンライン化の必要が叫ばれています。ツールとしてはもちろん便利ですが、美術品は実際に自身の目で直接見て触れることが肝要です。そのように機会が失われてしまうのではないか、かえりみられなくなるのではないかと、危惧しています。美術に関わる作家、百貨店美術部、画商が活躍する機会を与えられなくなるのではないか、若い人達が美術界をこころざさなくなるのではないかと心配です。

⑤　来年に延期された東京五輪・パラリンピックもですが、スポーツや文化には心をいやしたり勇気づける力があると思っています。作品を制作し続け、人々に届ける機会を絶やさないように努めたいと思っています。また、大学での教え子を始め後進の人達の活躍の機会を失わせる事のないように努めたいです。

⑥　ワクチンをはじめとした対処手段が見つかり、新型コロナウイルスの脅威がなくなる事を願っております。

相笠昌義［洋画家］

1939年東京生まれ

地球は大小さまざまな生命体で満ちあふれている奇跡の星だが、他の生物体や自然をないがしろにしている。ホモ・サピエンスに対する地球の怒りのような気がするが……。

赤堀　尚［洋画家］

立軌会同人　1927年静岡県生まれ

①　かなり自由を失われた日常生活。したがって制作のリズムは少し狂っている感じがする。

③　気の通う作家同士とは時折電話で会話してストレス発散をしている。

④　確たる予測は出来ないが――縮小されてゆくだろう。

⑤　ただ自分の絵を探るのみ。

⑥　戦後70余年の美術界（社会現象）を省みる時期ではないか。

池口史子 ［洋画家］

日本藝術院会員、立軌会同人

コロナに思う

世界中がコロナ禍に見舞われている。この未曽有の大事態に、全世界の人々が決定的な打つ手を持たない。こんな恐ろしい事を昨年まで誰が想像しただろうか？

私個人としては、昨年2月に主人（編集部注・堺屋太一氏）を亡くし、心の傷が癒えないまま、この大事件に突入した感じである。

今主人ならどんな事を考えただろうと思う。歴史が好きだったので、きっと歴史と疫病の関連を分析していたのかも知れない。非常に冷静な人だったので、誰もが想像しない経済に対してのユニークな解決策を考えていたかも知れない。

何もかも過去のものになった今だが、世間には幸せでない人があふれている。私の心の傷等たいした事で無いのかも知れない。

何時の日か、前のように当たり前の日常で皆と食事をしたり、集まったり出来る日が来る事を心より願っている。

入江　観 ［洋画家］

春陽会会員　1935年栃木県生まれ

① 不安が無いわけではありませんが、以前にもまして静かに制作を続けています。

② 予定の展覧会の中止や延期は残念ではありますが、団体展の作家が制作を一年単位で考える習慣を見直す好期だとも思います。

③ 顔を合わせて話が出来ないもどかしさはありますが、電話で連絡を取りあっています。

④ 人間の叡智を信じれば、この状態は一過性のものと思います。この経験をふまえて美術家がそれぞれ

の仕事を果たすことによって、それなりの成果が生まれる筈だと思います。
⑤　あくまでも自分に忠実に沈潜すること以外に何が出来るでしょうか。

遠藤彰子　［洋画家］

二紀会委員、女流画家協会委員、武蔵野美術大学名誉教授　1947年東京都生まれ

①　もともと「三密」とは無縁でしたので、創作活動自体にはあまり影響を感じておりません。あえて言うなら、営業自粛中の画材店で油絵具が買えないぐらいです。なるようにしかならない時期だからこそ、自分の表現をもう一度見つめ直し、個人として出来ることを坦々とやっております。
②　3月末から開催予定だった鹿児島市立美術館での個展は来年春に延期、笠間日動美術館でのグループ展も緊急事態宣言中は休館となってしまいました。これらの事業に関わってくださった多くの方々のご苦労を思うと胸が痛みます。お世話になっている方々に対しては、今後も何らかの形で協力していきたいと思います。
③　マスクが全然売っていないときに、地域の子供たちに簡易的なマスクを作ってさしあげました。お母さんは喜んでいましたが、子供はちょっと嫌そうな顔をしていたのが印象的でした。
④　美術団体は、より団体としての社会的意義が問われ、また、作家は、より個人としての資質が問われることになると思います。すべての物は絶えず生まれては変化し、移り変わっていきます。その勢いがさらに加速するのではないでしょうか。この変化せざるを得ない状況に、「災い転じて福となす」と出来るかどうか、それぞれに問われているのだと思います。
⑤　問題を共有する日が来るまで、この現実としっかりと向き合い、深く掘り下げることが重要だと思います。社会にとっても、作品にとってもです。
⑥　先の見通しが立たない状況の中で不安はあるものの、作家である以上、いつでも打席に立てるだけの準備をしておくだけです。今が踏ん張りどころだと思います。

大津英敏 ［洋画家］

日本藝術院会員、多摩美術大学名誉教授、独立美術協会会員　１９４３年福岡県生まれ

①　美術大学の勤務が終わり、本来の画家生活の毎日となりました。２０２２年初春に予定している個展のための作品制作と、独立展出品の大作に取り組んでおります。

②　創作に対する思いが強くある一方で、不本意な事態により公募展、グループ展が延期や中止となることは残念なことです。

③　特にありません。画家としてこの度のことでお役に立つことがあれば参加したいものです。

④　これまでの日本の美術の世界を考えますと、賢明な方向性を導くことが思案されます。

⑤　長い日本の歴史を改めて考え、芸術・文化に高い見識と実際を示してきた日本を信じ、制作と発表によって貢献するべきか。

笠井誠一 ［洋画家］

立軌会同人、愛知県立芸術大学名誉教授　１９３２年北海道生まれ

①　平時と余り変化はない。公務や会合は中止になっても文書の往来に替わっただけで雑事はいつも通りだ。展覧会巡りの回数が減った分生じた時間は創作や溜まった書類の整理や読書等、時間は埋っている。

②　4月末の個展（日本橋三越本店）と5月初めの個展（福岡三越）が延期になり、影響は蒙っているが、より深刻な被害を受けている業種も少なくない筈だ。

③　作家の集まりや発表活動が出来ないのは困るが創作活動には支障が無かろう。外出も難しい折、仕事に集中し、元気を維持して時期を待つしかなかろう。

④　此の騒ぎが収まらないと今後の予測は立たない。低迷がつづき先の見えない美術界にはこれを機に大きな変容が待っているだろう。

⑤　人、各々立場が違い一様ではないが、私は戦中、戦後から変化の多い時代を過して来ている。今は耐えることしかない。しかし各々自分に出来る事は沢山ある筈だ。力を貯えて次期に備えるしかないだろう。

奥谷　博 ［洋画家］

文化勲章受章者、日本藝術院会員、独立美術協会会員　1934年高知県生まれ

① 普段とほとんど変わりなく生活しています。アトリエは住まいより歩いて4、5分のところにあり、行き帰り2、3人に会う程度ですので、毎日アトリエに行き来し、7、8時間の制作ペースという普段の生活と変わりありません。県をまたいで東京での会議、会合、展覧会を見る機会は少なくなり、その点、作家としての制作に今までより集中できます。

② 独立展は開催か中止にするか運営委員会で評議中ですが、7月初旬には決定しなければならないでしょう。十果会、巨匠展、太陽展などは現在のところ中止はなく、巨匠展は日を延期しています。パーティー、ギャラリートークは行っていません。

③ 作家同士は、電話、ファックス、手紙での連絡となり、私個人としては普段とあまり変わりありません。

④ 国内の美術界が今後どうなって行くとか、現在あまり考えません。私は作家で自分が表現したいいろいろなことを追求して行くことで現在いっぱいです。これから考えてみます。

⑤ 美術家として何が出来るか。自分の納得出来る制作をして、それを見て生きる力を与えられる様な作品を描きたいと

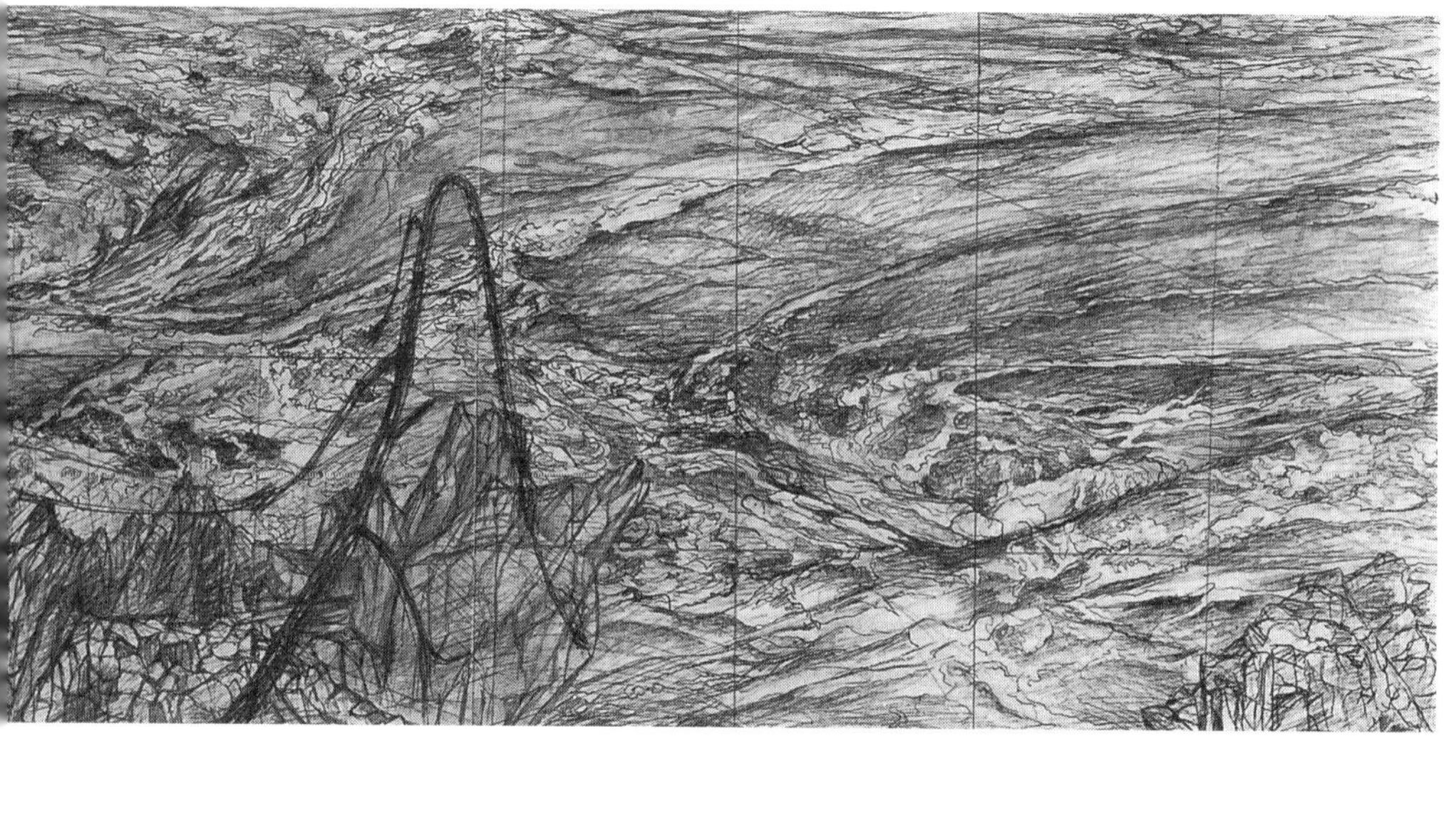

常々思っています。ワクチン、新薬が生まれて来ることを祈るのみです。先日、美術年鑑社の油井一八さんと何が出来るかと話しました。ノーベル生理学・医学賞を受賞された大村智先生が関係している「COVID-19対策北里プロジェクト募金」の話になり、新美術新聞の企画「日本の四季」特集に参加している作家達に協力してもらい、気持ちばかりでも出来る限りの寄付をしてはという話になりました。それが実現することは、作家の一人としてうれしいことです。

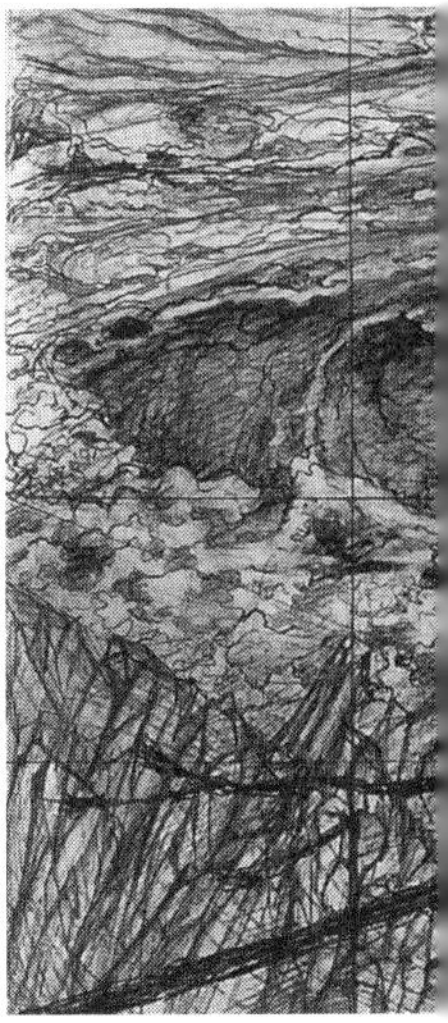

奥谷　博
「現世来世のエスキース」
2000年
40.0×105.0cm
鉛筆・紙　個人蔵

上條陽子

［造形作家］
１９３７年神奈川県生まれ

① この状況は制作とは無関係ではない。あまりに大きな出来事、コロナ禍 COVID-19 をどう作品に表現するか模索していきたい。たまっていた仕事（来日したガザの記録集）をこの際完成させたい。

② かつてなかったことに多くの人がとまどっていると思う。制作意欲の減退、体力、金銭、家族の問題、また、会議、会合も開けず、話し合いも出来ず、画材の購入、搬入出等、大きな社会との関わりに個人の問題だけではないと改めて思う。

③ やりきれない思い、淋しい思いが募る。皆で飲んだり語り合ったりする潤滑油が必要だ。

④ 変わると思う。少子高齢化の波、ＡＩの利用、コロナ禍と相まって加速するのではないか。絶滅危惧種（画家のこと）の生き残りとして不安を感じる。政府の美術界への理解度を高め、経済支援をしなければ日本の文化も危ぶまれる。

⑤ 美術館、文化施設、図書館、本屋も休業。全く淋しい限りだ。砂漠の中をあてもなく歩いているようだ。水もなく、虫の声、鳥も飛ばず、花や樹木にも触れず、それでも生きる喜びとは何なのだ。画家は思索と模索を続け、描き続ける。

絹谷幸二 ［洋画家］

文化功労者、日本藝術院会員、独立美術協会会員　1943年奈良県生まれ

① アトリエに閉じこもり、制作に打ち込んでいます。画家は絵の中の自身の夢の中に住んでいますので「引きこもり」を悪いこととは思っていません。
② 6月の個展は来年に延期しました。再びじっくり一年をかけて制作出来ます。良い決断だと思っています。
③ 外に出られませんので、友人知人、地域の方とは電話やスマホで連絡を取っています。中にはコロナにかかられた人もいますので安じています。
④ 画廊が立ちゆかなくなったり、苦しい時代が続くでしょう。しかし画家は、その様な中でも人々に夢を希望を！　元気をあたえることが出来ます。
⑤ 芸術は心の世界。つらい現実の外にあります。夢を絵で語りたいと思います。
⑥ 新しい時代に向かって進取の気性を持って創造活動にうち込みましょう。

工藤和男 ［洋画家］

日展特別会員、創元会顧問　1933年大分県生まれ

アトリエにのこる出品作

ここ別府の地に居を構えることになり、4度目の転居の末、やっと最後の棲み家と言える所を探し当てたところです。別府湾を眼下に見下ろし、湯煙の立つ別府市街や猿の高崎山を右手に、佐賀関の煙突や、晴れた日は小生が高校卒業後しばらく青雲の志をはぐくんだ四国の山々まで見渡せる実にすばらしい景観が展観できるところです。

このところ別府もご多分に漏れず、新型コロナウイルスの緊急事態宣言を受け、湯の街の賑わいはどこにもなく、市内の観光名所も閑古鳥が鳴く始末。一体この先どんなことになっていくのかと不安になりま

す。大分ではクラスターが発生し、医療センターの患者や職員や医師や看護師まで罹患していく始末でした。武漢と姉妹都市を結んでいたせいかとも思いましたが、特に文化面では交互に人の行き来は有りましたが、間髪をいれず外国人の流入を禁止しました。大分を中心に他郡市ではクラスターが発生し瞬く間に60名の多くを数えました。別府市は感染者は今のところ1人だけにおさえ込まれています。観光客を関連企業の休業により、ホテル、旅館を始め観光関連業者の全面的な協力がなければなかなかこうはいかなかったと思われます。数日前に緊急事態宣言が解除されましたが、まだまだ終息したわけではなくこれからも全く油断はできません。

今年は4月1日より国立新美術館において第79回創元展が開催されることになっていましたが、この感染症によって中止となりなんとも残念と云うほかありません。

そのため昨年から力を込めて描いて来た作品も、日の目を見る事なく、今はアトリエの壁に寂しく立て掛けられています。大分支部の小品展も6月9日から開催予定になっていましたがやはり中止となり、このコロナ感染症はいつ終わるのかと大勢の人が不安に思っていることと思います。早く予防接種ができる日が来るよう皆で祈るのみです。2回目の緊急事態宣言が出ないよう。三密を避け耐え続けましょう。

久野和洋［洋画家］

立軌会同人　1938年愛知県生まれ

①　アトリエでの制作の日々において、日常生活は、以前と基本的に変わっていません。コロナウイルス禍によって美術館、画廊が閉ざされるなど、もろもろの問題から感じるストレスから、心身の健康をなんとか維持するには、制作に集中する、当たり前の日常を大切にするほかないと思っています。

②　5月20日から、東京で個展開催の予定でしたが、コロナウイルス問題による緊急事態宣言延長にともない、個展は7月に会期延長となりました。

③　親しい画家仲間、友人、後輩たちと、時折、電話で語り合ったり、メールで近況を伝えたり、安否確認（？）を含めて、やりとりをしています。ほっとできる大切な時間となっています。地域社会との関わ

りは、ほとんどありません。
④ 事態は複雑で重い問題にて、予測は控えます。
⑤ 美術家にとどまらず、芸術文化に関わる人々は、現実にひろがるさまざまな試練と向き合い、それぞれの立場で忍耐強く、ベストを尽くすほかないと思います。

小杉小二郎 [洋画家]

1944年東京都生まれ

① 今は中目黒、田原町そして伊豆高原で制作しています。
② 今年9月中旬から日本橋髙島屋での個展を予定してますが延期になるかもしれません。
③ 絵描き仲間とは電話、メールで連絡しあっています。
④ 国内外の絵画展が減少するのではと心配しています。
⑤ 今まで以上に真摯に制作をと思っています。作品で世の中を少しでも明るく出来るようにと願っています。
⑥ 戦時中も一心に描き続けておられた作家達に思いを馳せます。

小灘一紀 [洋画家]

日展特別会員、日洋会理事長 1944年鳥取県生まれ

① 相変わらず、16年前からの古事記を絵画化することに時間を費やしている。神話は人間の崇高な生き方の記憶を紡ぎ出す作業である。古代人との心のやり取りを通して国の背骨を知り、美と義を兼ねそなえた絵画の課題に取り組んで悪戦苦闘している。
② 5月末からの日洋会展、選抜展（銀座アートホール）は中止になりました。9月の日洋会新人展（ぎゃらりいサムホール）はまだわかりません。
③ 地域の美術展、美術館も中止、出歩くこともままならないので美術家同士の交流はできません。残念

に思っています。そのかわり読書を通して人間学を勉強し、昔の偉人と交流しています。
④ 世の中の考え方が一変するかもしれない。ペスト等不合理きわまりない中世に多くの偉大な芸術家や思想家、宗教家が生まれている。商品経済と結びついた美術だけでなく、真の芸術とは何かと問うような美術界になっていくだろう。▼中世の芸術家が魂の無限な成長を目指したように、人間の生と死、希望、悲しみ、情熱といった人間の魂と対峙して「不朽の真理」を探究していく美術が必要となる。科学技術（AI・IT）を使用した作品も良い面もあるが、今こそ、人間が原始の野蛮さを取り戻し、血のにじむような命がけの芸術として、進歩でなく人間が進化していく芸術の時代を望みたい。
⑤ 私は現在の日本について深く憂慮する者である。私もふくめ日本人の頽廃を痛感する。コロナウイルスは大変な事態だが、これを機会に人間の生き方を考えてみる時間だと思っている。▼戦後の経済発展の中で物質至上主義・消費・大量生産・グローバル化を通して美術も盛んになってきたように見えるが、一方で伝統文化の良さを見失ってきた。目に見えないものを大切にする精神を忘れ効率主義となって、人間を越えた「絶対的な存在」を感受できる表現は芸術しかない。▼今の日本人は先祖が作り上げてきた「低く暮らし、高く思う」という哲学を見直し、清貧の中にも「風雅」の美意識を持つべきである。▼芸術家は作品を通して生き方を語りかけたい。今後、美術界・美術家は真の文化の豊かさを伝える使命がある。宗教を失った現代において芸術だけが救いとなる。

佐々木 豊 ［洋画家］

国画会会員、日本美術家連盟理事　1935年愛知県生まれ

① カルチャーセンターとスポーツジムが休みなので、まるまる自分の時間。8時起床。9時半まで、散歩と筋トレと朝風呂。朝食後、2時まで制作。のち、30分のサッカー場の壁に向かってボール投げ。昼食後、横浜駅まで2キロ歩いて、夕刊フジと日経を買う。8時夕食。11時まで制作。12時就床。
② 国展は中止なので、8月の高島屋での「個の地平」展の制作に励む。
③ カルチャーセンターの受講生から電話あり。「家で描けばいいのだけど描けない。早く教室が始ま

ないと気が狂いそう」。
④　祖母はスペイン風邪で死んだ。日本だけで40万人が死んだとされる。だが、ウイルスが大正美術の流れを変えたという記述はない。新型コロナウイルスも同様。台風一過、けろりと忘れて、美術界もこれまで通り、生でだらだらといくだろう。
⑤　何もできない。バンクシーのようにメッセージ性のみを目的とする表現者ではないので。目に見えないウイルスを主題に何かを仕かけるのは至難の技である。

佐藤泰生［洋画家］

新制作協会会員、和光大学名誉教授　１９４５年大連生まれ

①　自粛生活。制作と読書と散歩。今は少し疲れ気味。人が人に会うことがある意味いけないことになってみて、人としての一番大事なものが失われたように思った。困難の時の人間のありようなど、色々な作家、詩人や画家の体験記や作品を読んでみた。惨禍に強い人もいるし弱い人もいて、それぞれ、それをそのまましっかりとした表現にしていることに改めて驚かされた。
②　秋の第84回新制作展は中止。個展は状況次第。今のところ11月の予定に向かって制作はしている。コロナの後の展覧会は今までのものとは違ったものになるかもしれないし、人の興味や価値観の在り方も変わって行くのだろうか？　見慣れた風景も変わって見える不思議さ。
③　メール、電話、手紙など。
④　変わって行くと思う。
⑤　世界中で色々なことが起こり、未来のない不自由な時代に突入しているようだし、人とのつながりや共感などの大事さが一層強まると思う。

佐藤　哲［洋画家］

日本藝術院会員、日展理事、東光会理事長　１９４４年大分県生まれ

① あらゆる事が中止や延期になっているので、できるだけ自宅にいます。よって作品制作はいつもより順調です。

② 第86回東光展（4／26~5／10）の中止。

④ すべての業界において落ち込みが激しいこの頃、美術界も大変厳しい状態にありますが、作品をつくりたい作家の気持ちは抑えきれないので、必ず復活できると信じています。

⑤ 絵などはこの様な厳しい時世に何も役立たない気がするが、こんな時こそ、文化の大切さを思い知ることができます。経済優先の政治のつけは、こんな形であらわれてしまいました。今こそ、政治家も文化の大切さを知るべきだと思います。

田中　良 ［洋画家］

二科会理事長　1923年茨城県生まれ

① 風景を主として描いてる者としては、出歩くことが制限されている今日、現地でのスケッチが出来ないことが残念。ただ現在は、過去沢山スケッチした中から、自分のモティーフを選んで制作を続けているので、それ程困っているとは思わない。殆んど毎日アトリエで制作しています。

② 会としても、事務局を中心にして、各理事への連絡、会員とのコミュニケーションを密にしている。会場等の閉鎖が解かれるまでの辛抱です。

③ 電話、メール、手紙等による情報交換、連絡を常に行っている。

④ 個人はそう影響は少ないと思うが、個展等で生活している作家は相当影響があると考える。美術団体は、それなりに続いていくと思う。

⑤ 青少年達へ　現在の若者達は、それぞれの器具等を自由に扱い、それ等からとてつもない物や画面を作り出しているが、やはり生《なま》を見、感動する日常から美を創り出すことに向かわせたい。子ども達に接する機会を多くつくる。又、年齢を重ねた方で、ものを作る、育てる等の楽しみを、自分も参加して共に進んで行きたい。

寺坂公雄 ［洋画家］

日本藝術院会員、日展顧問、光風会理事　1933年広島市生まれ・愛媛育ち

① 新型コロナ感染拡大で自粛して外出できないが地球上の人間は自然の一部と考え、災害や戦禍を生き抜き、今描きたいものを制作していたい。
② 光風会展、三越逸品展は中止になり、7月の光風会選抜展、日展は会場が開催できる予定だが、鑑賞者が激減しないか心配。
④ 今後のことは、社会も美術界も予測はつかない。防ぎようのない自然災害、分断と経済・人種・宗教、リーダーの判断の誤りによる戦争・紛争には美術の発展はない。新型コロナ等、薬が出来、生き残れば人類の歴史はたびたび災禍から明るい流れになり、芸術文化は発展してきた。
⑤ 芸術文化は平和でなければ進展しない。この年齢になると外出自粛をポジティブに考えて制作するのみ。次世代に何ができるか期待している。

中山忠彦 ［洋画家］

日本藝術院会員、日展顧問、白日会会長　1935年福岡県生まれ

① 未曽有の非常事態、先の見えない不安と混乱の中だが、日常生活としては食事、制作、接客、外出、就寝を除いては、殆ど画室の中での生活が習慣なので、このところ接客、外出を免れた全てを自分の時間に費している。見通しのつかない不安は抱えながら、かなり予定を早めて、今秋の日展制作を始めている(開催の可否はまだ不明)。
② 今春、第96回白日会展が、開会の準備が整った時点で閉館通告があり、出品者と一部鑑賞者のみが、会場の作品群と対峙出来たのは有意義であり、幸運でもあった。美術館は美術家にとっては重要な発表・陳列の場だからである。画家たちは壁から無言の教示を得た筈である。
③ 作家同志の消息の確認などはお互いに電話で行っている。地域社会とは殆ど交流が断絶している。ステイ・ホームが滲透して来たと思われる。

④　例え活動範囲が狭まろうと、美術家の使命は制作活動にある。かつて、ドナルド・キーンさんと朝日新聞紙上で対談した折、折しも東北地方の3・11の後でもあり、その後の世相と文化について話題を向けると、即座に「日本の歴史を考えますと、最も悪い時に、何か素晴らしいものが生まれる。日本人はかつて応仁の乱の後でさえ、東山文化の華を咲かせた実績があるではありませんか」と即答された。私自身、日本人の持つ潜在的な恢復力はあると思うし、必ず光明を見出して行けると信じているが、価値観の変化は否めないにしても、新たな時代の予兆は感じている。

⑤　創作活動は、日常的にも継続して、発表の好機到来を切望するのみ。如何なる事態であれ、作品を通じて人類の心を鼓舞する務めを果たすのが使命だと考える。芸術は人類の永遠の属性として存在するからである。

⑥　新型コロナ禍にしても、地球上の異常気象にしても、人類の奢りに対する神の啓示と警告だと言えるかも知れない。

根岸右司［洋画家］

日本藝術院会員、日展副理事長、光風会副理事長　1938年埼玉県生まれ

①　取材に出られないので少々つらいが、アトリエで集中して制作できる。当たり前のように思いがちだった日常が、どんなに幸せな世の中であったかと痛感。

②　このような新型コロナウイルスの感染を考えるとしかたがない。人類共通の国際的な戦いなので、見えないコロナウイルスという敵が収束するよう、全員が努力する。

③　新型コロナウイルスの感染拡大に伴い、コミュニティの分断、やり場のない不安感が生じ、心の健康が心配。

野見山暁治［画家］

文化勲章受章者　1920年福岡県生まれ

① 老齢のせいで、2年くらい前から、脚が不自由だからコロナウイルスとは無関係に、外出禁止です。しかし自分のせいと異なり、世間から制約されて、家に籠るのは、平常心を、おそろしく殺がれます。

② 作品を発表してこそ、絵を描く歓びが自分に撥ね返ってくるものと思うので、今、発表の場を失くすことは、残念でなりません。

③ 人数はいといません。しかし一人でもいい、共通した倫理感を持ち、尊敬すべき人格の友人は、たいへん貴重だと思います。

④ 自分の行為について、すぐにでも、その成果、あるいは結末を急ぐ。だから常に時間に追われる。思考する余裕がない。目先の効果はすぐに消える。一様に流行を追いかけているようでなりません。

⑤ どうすべきか、わかりません。絵描きは絵を描くことだと言われても、なんの意味もありません。いや、これは私のことで、たんに気やすめのような気がするのです。

野見山暁治「糸島にて―アトリエの窓から〈素描〉」
22.0×29.0cm　紙・水彩

福島瑞穂［洋画家］

独立美術協会会員　１９３６年広島県生まれ

①　家族は男2人と私の3人、基本的に家に閉じこもっている。私は、午前11〜12時起床、朝食を作る。16時ころ昼食を作る。夜20〜21時夕食。空いた時間、台所に続いたアトリエで絵を描きながら皆にコーヒー、ケーキを何度も準備する。息子は2階で勤務先の大学とオンライン会議。来週からは授業もやるらしい。夜10時ころアトリエで30年イーゼルに乗りっぱなしの祭壇画を描き始める。10月出品の独立展Ｆ２００号も描いている。7月中には出来上がる予定。就寝は午前5時。

②　60年近く出品してきた女流画家協会を退会した。今のところグループ展、個展の予定はなし。世界中がコロナウイルス問題、以前と以後では、まったく違ってくる、大変な変化をするだろうと言われている。その予兆を感じている。それに対処出来るか。最近、日常生活に於いて、コンピューターを使うことが多い。コンピューターの勉強をしないといけない。

③　電話、手紙、メールを使ってやっている。これまで人間関係には恵まれた中で生きてきた。自分自身がなかなか人の力になれないことを情けなく思っている。

④　遅かれ早かれ公募団体は衰退していくと思う。２０２０年そこに関わる人達に団体創立者達の思想（哲学）はない。権力と名誉そして金。関心はそれに尽きる。何処にいても同じ問題が起きた。「人間は欲望の奴隷と化した」マルクス・ガブリエル新実在論を提唱する哲学者の言葉。

⑤　何ができるか考えつかない。いつもの国境なき医師団からコロナウイルスのための緊急振込用紙が送られてきたのでわずかな額を書き込んで送った自分に対する気休めといつもの反省。

⑥「私は時代と格闘するピエロだ」ミズホ・オオノ

藤森兼明［洋画家］

日本藝術院会員、日展顧問、光風会理事長　１９３５年富山県生まれ

①　春の公募展開催直前にコロナに対する対応としてすべて中止となり、何十年と続けて来た体内カレン

ダーが止まりパニック状態でした。自身の思考の構築と行動の再構築を迫られました。今度の事で自身の制作を今後どの様に進めて行くべきか考える機会となり、又すべきと確信させられました。

② 私の場合は春、秋の公募展と個展等も含め年間のタイムスケジュールが組まれていたので、中止延期は取り戻せない空白となって残ります。これを埋める事と平常心をもって前へ進める事が肝要です。

③ 良くも悪くも連携は一時的にしろ薄れたと思う。なぜならば、言葉にしろ、行動にしろ接触の頻度が無くなれば一体感も薄らぐ、これは地域社会との関わりも同様と考える。ある意味では言葉は違うかも知れないが恋愛感情に似ているかな……。

④ 日本の場合、協調性の強い気質が根底にあるので終息の後は以前の常態に近づく様努力して行くと思う。但し完全に以前に復帰するには少なくても一年は要すると思う。作家の経済面、業界の流れ等を考えても希望している程簡単には進まぬと思う。

⑤ 自分自身の仕事の特性を今まで以上に明快にしながら、所属する団体やグループに限らず、美術界に対して明るく力強く創作して行く事が一般社会の人々も含め貢献出来る事と信じます。

馬越陽子 ［洋画家］

日本藝術院会員、独立美術協会会員、女流画家協会委員

①④⑤ 元来制作は密室で独り、画面と対峙し、描きつづけるものです。このコロナウイルスの感染防止のための外出規制が出され、１００年に一度という正体不明の病原菌の危機にさらされた時、私は少女時代にいつ爆弾が頭上に炸裂するかわからない恐怖を想い出した。

事実、見渡す限り焼け野原となった東京青山の我が家から国会議事堂が見はらせた。この度のコロナでは家は焼けつくされないまでも、そこに暮らす人々に音もなく忍び寄り突然生命を奪う魔の手は不気味そのもの。それは、世界中の全ての人間を脅かし防ぐ手段は未だに手探り。このまさにグローバルな地球全体の人間世界の危機は第二次世界大戦以来の未曾有の状況を呈している。全人類が日々、実感し、経済が混乱、人々の困窮は計り知れない。制作はひたすら個に徹して深化させるのみだが、その深化のさきに他

者を見ないわけにはいかない。だが古来人間は何度も歴史に残る惨状を乗り越えてきた。

コロナ危機によって世界が一体化しそれを乗り越えようとしている現在、芸術はそれとは別の存在ではあり得ない。アートの存在の意味が根本から問われている。他者のためにある芸術を考えざるを得ない。最大の危機に直面した時、人間に最も必要なものは何か。生きるためのアート。人間を生かすためのアート。その土壌に立ち制作すべきとの内部の声が聞こえる。そこから未来、そして生命・勇気・絆、さらに希望をたぐりよせる道筋を示す事に使命があると信じます。
② この状況下、公募展は当然審査を経て始まる、審査の状況はまさに三密そのもの。感染発生源を防ぐには苦渋の末の中止も止むを得ないのでは。健全な環境で開催出来る日のために。

藪野 健［洋画家］

日本藝術院会員、二紀会理事、府中市美術館館長　1943年愛知県生まれ

① アトリエが中心です。完成できないままだった大作を制作しています。
② 避けがたいインターバルのように捉えています。新型コロナウイルス感染の終息を待って再開できればと思います。
③ 古来からの方法、手紙のやりとりなどが復活しています。
④ 大きな規模で多くの人たちによって運営される展覧会はこれからも形を変えながらも続くとは思いますが、違った形の表現方法ができていくように思います。ジャンルは劇的にひろがり。より深くより自由に。ウェブの実技のトライアルからその可能性とともに限界も感じました。手を通しての表現の評価。意識の世界の多様性が反映。作家 Fernando Pessoa のような多重性、多層性でそれぞれ異なる表現。難解。言葉、空間と出版が展開。そんな風に考えると楽しい。
⑤ 美術館、ジャーナリズム、様々なアーカイブズ、社会、にかかわる都市、生活と一体となって表現にかかわるように感じます。

山田嘉彦 ［洋画家］

立軌会同人、東京学芸大学名誉教授　１９４０年東京生まれ

①　コロナウイルス感染拡大後も、基本的に以前の生活とそう変わるところはありません。ただ、展覧会が開催されなくなり、銀座、日本橋、上野、六本木に出かけることがなくなりました。又、妻と時々外で食事をしていましたが、それもなくなりました。制作は従来通り行っています。

②　幸いグループ展は2月に開催され、事なきを得ました。秋の立軌展は開催に不透明な部分もありますが、現在出品画に力を入れています。

③　特にありませんが、予定される立軌会に関してメール等で連絡をとり合っています。地域社会との関わりは日頃より、御近所付き合い程度です。

④　感染症の収束後も、経済の不調は急に改善するとは考え難く、従前の美術界の体制が変わるとは思えません。

⑤　現在は展覧会として見せることが出来ないのだから、美術家は作り手として制作するのみではないだろうか。

山本　貞 ［洋画家］

日本藝術院会員、二紀会理事長、日本美術家連盟理事　１９３４年東京生まれ

①　コロナは平等で、世界中の人種、男女、貧富、宗教に分け隔てなく拡大した。これで各国の構造がよく見えてきた。巨大化・可視化された世界の風景を、ぼくらはよく見つめたいと思う。

②　春から考えていくと、「東京二紀展」「春季二紀展」、7月に予定していた「われらの地平線」などを、会場の閉鎖などの理由から中止、又は延期した。秋の第74回二紀展に関しては現在未定（編集部注：２０２１年度に延期が決定）。特に秋の展覧会はこちらとしても審査・陳列することで大勢の人々が全国から参集してくるので特に不安がある。

③　今回のコロナでは籠城といった様相で制作の時間は充分手に入れたのに、だからといって仕事が進ん

だ訳でもない。人間とはこんなものなのか。これもコロナが教えてくれたもののひとつだ。

　ぼくらはひとりで立っているつもりであっても周辺の環境が変わってしまうと舞台を失った役者にも似ていて無力を思い知らされる。

公益財団法人

日本美術院

理事長 田渕俊夫　１８９８年開院

第75回春の院展（３／25〜４／６）を日本橋三越本店にて開催するも、以降巡回17会場のうち10会場が中止となる。

忠　利二（事務局長）

我々もまさかこんなかたちでコロナが広がるとは思ってもいませんでしたし、４月６日まで日本橋三越本店にて第75回春の院展を開催していました。しかし４月４日、５日は閉場せざるを得ませんでした。４月７日には新型コロナウイルス感染症対策本部決定により、埼玉県、千葉県、東京都、神奈川県、大阪府、兵庫県、福岡県の７都府県に対し緊急事態宣言が発出され、以降に予定されていた全国巡回のうち、名古屋展、秋田展、札幌展、福井展、京都展、大阪展、山形展が中止。７月の倉敷展と横浜展は開催できましたが、以降の福岡展、松江展、神戸展の中止は決定しており、続く新潟、広島、栃木、福島、千葉の各展は現状未定です。現地新聞社との共催となる巡回展の開催可否は会場判断に委ねられます。やはり制限が緩和されて以降も東京から人や作品が移動してくることを地方は怖がっていましたね。人出という意味でも例年２万５０００人ほどを動員する東京展は、コロナ禍の影響により約５分の１、５０００人弱の観覧者となりました。観覧料もそうですが、何よりもカタログを含めたグッズの売上の落ち込みが痛い。

秋に開催を控える再興院展は今年１０５回を数える歴史ある展覧会です。長い歴史において開催することができなかったのは昭和18年と19年、戦中２年のみという伝統ある催事ですし汚点を残したくないという想いがあります。また、全国各地に一生涯をかけている出品者の方々がいる。ですから今年９月にたとえ東京都美術館で展示することができなかったとしても、秋の再興院展に関しましては受付、審査はやる予定でおります。幸い本院は審査の代替地がありますから、例年２日かけている審査を３日かければこの場所で審査ができます。先が読めない状況ではありますがアルコール消毒、マスク、換気、ソーシャルディスタンスを徹底しながら秋の再興院展開催にむけて準備を進めていくつもりです。

また、９月28日から10月４日まで「令和２年度同人新作品展示」を日本美術院にて入札会形式で開催予定です。破格で同人の新作を購入できるチャンス、万全なる感染症対策でお待ちしておりますので是非足をお運びいただければと思います。

白日会

会長 中山忠彦　1924年設立

第96回白日会展（3／18～30）を開催すべく絵画部のみ作品陳列するも国立新美術館休館延長決定により、一般公開中止となった。

寺久保文宣（事務所長）

現場担当の常任委員としてお答えいたします。白日会は中山忠彦会長の陣頭指揮のもと、最終的に美術館から利用不可能との指示を受けるまでは開催準備を進めていくという方針をとりました。残念ながら彫刻部は様々な事情で中止せざるをえなくなりました。審査初日、あのような状況下でも例年と変わらない一般出品数、しかも力作揃いで、常任委員を中心とする審査会もいつも以上に審査に力が入っていると感じました。また、裏方で作業する、私が名付けるに「筋金入り会員」の方々が率先して、消毒・手袋・マスク・換気他、様々な準備や工夫を行い、危険の中で通常通りかそれ以上の作業を行ってくれたことがなければ、展示はおろか審査にも至れなかったと思います。

会費を主とし出品料の収入が母体ですので、一般公開できなかったことによる収入の被害はほとんどありません。通常の本展会期中2万人ほどの観客のうち、有料で観覧する方は1％未満なので入場料減収は微々たるものです。

公募団体展の真義は「審査と展示」にあり、その質と提示で各団体の特性が生まれます。搬入に始まり入落、推挙、授賞、巡回展選抜展の選定と展示までは例年通り行え、一般公開できなかったことに替えて、内部閲覧会を行い、全出品者（落選者含む）に図録・目録を贈呈し、動画やＨＰで全作品を公開しました。今できる「白日会らしさ」を皆で一丸となって行ったということです。

現在白日会は多くの作家を擁し輩出しており、特に若手作家の登竜門的団体と目されているようですが、創立会員の吉田三郎は、若手作家や地方在住者たちの中央進出の足掛かりとなることを当会の目的の一つと語り、これは首長中澤弘光と側近により始まり、伊藤清永前会長、中山忠彦会長と受け継がれています。同時に、白日会は根底に大家族的、土着の気風が根底にあると、先達の言葉や過去の批評にも残されています。関東大震災直後の創立から、恐慌・戦時・終戦直後、戦後思潮の中の度々の危機を乗り切った心です。最近では東日本大震災を開催準備中に経験しました。こうした歴史と共に心に沁み込んでいる無意識的伝統が、1世紀に近い年月を経た現在の白日会にもあると思います。

コロナ第2波も喧伝され、来年の97回展開催も予断が許されない状況ですが、「白日会らしさ」を根底に対応していければと思います。

一般社団法人
二紀会

理事長 山本貞　1947年設立

第30回記念東京二紀展（3／25〜3／31）をはじめ、第73回二紀展福岡巡回展、各支部展の開催を予定するも開催は中止。今秋の第74回二紀展は延期となる。

南口清二（事務局長）

2月下旬に第73回二紀展の福岡巡回展（福岡市美術館）が中止、東京二紀展（東京都美術館）は3月下旬に中止を決定した。ともに、行政の自粛に伴う結果であった。

緊急事態宣言が延長されると日本橋三越本店の「第9回われらの地平線」展図録作成に支障が生じ、来年度に延期。秋の本展にむけてモチベーションを高めるための支部研究会には、本部から講師が派遣できない状況となった。そこで、各支部の実情を探る目的で各支部長宛にアンケートを送付したのが5月3日のことである。

国際美術館会議による「Covid-19の世界的流行期における美術館の注意事項」では、展覧会開催に極めて高いハードルが策定された。それに準じて、国立新美術館より「公募団体への対策のお願い」が6月初めに出された。

二紀会としては、各支部へのアンケートをもとに、第74回展への対応を考慮することとした。ポイントは出品予定である。委員・会員・準会員は昨年並み。一般出品者の不出品等は77名の見通しとなった（昨年比59名増）。大学のアトリエが使用できない、収入の減少、上京の困難などの理由である。彼らを置き去りのまま、開催してよいのか。核心は、「安心安全な形での実施」である。

国立新美術館のガイドラインでは、審査室は36名が上限。昨年度までは審査員など110名が入室していた。他会場やオンライン審査、地域分散等も検討したが、即時の実施は難しく、陳列・講演会や懇親会等もガイドラインに抵触するとして、第74回展は1年延期せざるを得なくなった。

発表のできない状況へ、会としての指針と援助が不可欠である。各地方支部が、地域との連携を探り、活動する方向を検討し、その姿を動画や画像として発信することも考えている。ピサ・カンポサント（埋葬堂）の大壁画、パレルモ・シチリア州立美術館の大作、ブリューゲル《死の勝利》。いずれも感染症と人間社会を壮大なイメージで表現している。感染症は全く見えない。見えないものをどう見るか。

その時、公募展に集う多様性こそ、この時代の「表現」になるだろう。孤独な個が作品を持ち寄り、競い合う精神を持続したい。今を「コロナの空白」として過ごすか、イメージの深化の時とするか。芸術の営みの可能性こそが問われてゆくだろう。

創作画人協会

会長 森 務　1967年設立

2020春季創展（4／19～25）、第54回創展（9／27～10／4）ともに開催を予定するも中止。

森　務（会長）

4月開催予定であった春季展が中止となり、会として経理上約50万円の損失を計上しました。出品予定者46名の創作活動に費やした個々の金銭的被害を具体的に会として計上することはできませんが、構成メンバー、事務局など関係する人々の精神的な損失まで考慮に入れるなら、想定外の大きなダメージを被ったと判断しております。尚、上野・東京都美術館にて9月に予定されていた第54回創展の開催につきましても中止を決断。可能な限りの情報を集積した結果の理事会決定であり、所属作家全員、断腸の思いであります。

今後の総会の開催、作品の搬出入、審査等については当然のことながらすべてが3密であり、それぞれに可能な限りの基本的な施策を取ります。今後展覧会を開催するにあたってはアルコール消毒剤の設置、受付のアクリル板設置、会関係者はもちろん展覧会来場者のマスク着用、体温測定などを行い感染防止に努めるつもりです。懸念されることは総会、搬入、搬出、審査、開催会場に於ける3密回避、ソーシャルディスタンスを実際に行えるのか？です。美術館側の要望を忠実に達成するとなれば、会は膨大な人的労力、財務的出費を余儀なくされます。果たして満足のいく対応ができるのか？　悩ましいことです。

今回に限ったことではありませんが所属作家に対する啓蒙、情報発信は会報で綿密に行っております。公的助成金が実施されるのなら当然申請します。幸い会のホームページ「創展ギャラリー」にて特別展を開催することができそうなので発表できなかった作品をオンラインで展覧する予定です。コロナ禍による作家の不安、現状の美術界の状況を見渡してみて、ウィズコロナの時期を経て収束後、コロナ禍が人心に及ぼした傷の深さが美術界に数々の後遺症を残す事は明白です。懸念は様々ありますが、収束後を視野におき従来からの創展理念に基づいて会の運営を愚直に推進するのみであり、会の方針決定機関である理事会と所属作家とのコミュニケーションをこまめに図ることが必ず会の発展に結びつくと確信しています。

公益社団法人
日本彫刻会

理事長 神戸峰男　1947年設立

第50回記念日本彫刻会展覧会（4／18～5／2）は新型コロナウイルス感染拡大防止のため公募及び展覧会の1年延期を決定、開催を見送った。

神戸峰男（理事長）

今年は50回目の節目、記念展でしたから、日本彫刻会展覧会の開催以外にも50周年記念事業を多数予定しておりました。しかし「50周年記念事業―机上の美― 俊英作家小品展」、「第13回日本彫刻会新鋭選抜・受賞作家展」は開催中止。初代理事長である朝倉文夫先生から現在に至るまで、歴代の理事長作品や日本彫刻に影響を及ぼした作家を紹介する「特別展 日仏をつなぐ彫刻芸術の系譜―戦後の具象彫刻を牽引した彫刻家たち―」は21年に延期。50周年記念誌「日本彫刻会Ⅱ〈2001-2020〉」の発行も来年へ見送りとなりました。特別展を開催するにあたって、海外や全国の美術館から作品を借りてきて、それらも一度全てお返ししましたから、運送費だけみても2度かかるわけで大きな負担となります。しかし「こんなことにならなければ」と、コロナをただただ恨み節で捉えるのではなく、人間の性が生み出したかもしれない自然現象として許容し、じっくり腰を据え、怠りなく準備を整えておくべき雌伏の時として前向きに考え「中止」とは言いたくありませんでした。十分な沈み込み、蓄える力が強ければ強いほど高く跳躍できますから。

公的な助成を受けるかどうかは現在検討段階です。会内部でも様々な意見があり、「文化活動を経済活動と一緒にしていいのか？」という考えもある。枠があるから何でも申請すればよいというわけではありません。被害の補填として恥ずかしくないものであるかどうかを慎重に見定め対処していきたいと思います。今回のコロナ禍で退会に追い込まれる人も相当数いると聞いております。しかし、病気の不安は平等。生きる不安とは別物です。これはひとりひとりの意識、熱意の問題です。終戦直後、食べるものもないなかで名古屋の彫刻作家たちは自転車の後ろにリアカーをつけ、イモ・コメと共に作品を積んで何日もかけて箱根をこえ、東京へ作品を運んだと聞いています。「時は今……」という渇望が、とてつもないエネルギーを生んだのです。そのような大先輩がいたのだから、われわれもメソメソしてはいられません。

一般社団法人
現代工芸美術家協会

理事長 奥田小由女
1961年設立

第59回日本現代工芸美術展（4／18～24）及び関連イベントは新型コロナウイルス感染拡大により中止となった。

春山文典（副理事長・事務局長）

東京都美術館で開催予定の第59回日本現代工芸美術展の搬入、審査は4月1日より開始の予定であったが、4月18日オープン、後の巡回展を含め全て中止とした。

作品の搬入については、九州より北海道まで全国的であるが、関東を中心とした出品者は個人搬入が大多数であり3月31日以前の中止決断であれば基本的に搬入費用は発生しない。また、地方より搬入の場合、それぞれ異なった搬入方法になるが、それぞれ地方の中継地点へ個人搬入後一括して東京への搬送となる為、地方より東京への出発前であれば個人負担は低く抑えられる。

当協会の金銭的負担について、展覧会事業費の直接的損失は展覧会広報費（広告等）、各種印刷物等及び発送費であったが、共通管理費を含め多額の損失が発生した。当協会としては、厳しい財政ではあるが会員に対して、年会費の減額を決定し、些少ではあるが支援していくこととした。

今回展（59回展）の審査員（外部審査員を含む）全員はそのまま移行して２０２１年開催予定の展覧会を第59回展とした。ただし、東京展終了後の巡回展については数回予定しているが不確定の部分もある。例年、東京展オープン時に合わせて開催している理事会、総会については、後日合理的な日時に開催した。いずれにしても中止によるブランクは、結果計2年間に及び、影響が多方面に及ぶと思われる。他分野を含め各公募展の対応を注視、参考にし、会場・美術館側の制限をも考慮して開催に向けて準備を進めてゆくつもりである。

当協会のような美術団体の所属会員にとって、まず毎年の作品発表の機会が維持されているということが何より重要で、あわせて講習会、研究会によっても会員相互の切磋琢磨による自己研鑽、一方、公募の一般参加による新人の発掘等によって会の充実、発展を願うものであるが、それらがすべてストップという事態により、あらためて会の存在意義の大切さを痛感した。

一般社団法人
日本画府

理事長　南部祥雲　1956年設立

第67回日府展（5／19～27）は新型コロナウイルス感染症防止に関する国および東京都の方針を受け中止となった。

佐藤勝昭（総務部長）

上野・東京都美術館および名古屋の日府展本展、巡回展の中止などにより、数百万円規模の収入がなくなりました。本展が中止になったことにより、会員の年会費中本展出品費に相当する額を返金しました。年間最大の事業が中止となったため、会員の作品制作へのモチベーション、会の求心力維持が課題となります。

本年の総会はコロナ禍の最中でしたので、規程により書面による開催とし、影響を最少に抑えることができたと思います。会員が密に集合することは避けなければなりません。しかし搬出入や審査等は密にならざるをえない。罹患するとリスクの高い高齢者を避けて若い世代の会員を中心に実施、密にならないよう広い会場を使用する、マスク・フェイスシールドの着用等の各論ベースの施策だけではなく、根源的な対策も考えなければなりません。来年の本展開催に向け、対策を立案していく予定です。

会員への情報発信としては、本コロナ禍による本展中止に至った判断の背景、会計的処置等の対応策について多量で丁寧な資料の送付、レター発送等で細やかな情報発信を行っています。

公的助成につきましては団体として経産省の持続化給付金の支援を受けました。画壇としての社会的責任により活動が制約を受ける中でも所属作家の制作活動を支援し、将来に希望がつながるような活動を行っていく所存です。

コロナ以前の活動に戻れるのは本ウイルスに対する治療薬、予防薬ワクチンが完成するのを待つしかないと考えています。

しかし、医学的薬学的な対応策が出そろっても、従前の状況には完全には戻れないとも考えます。本コロナ禍の騒ぎは収束しても、次の、あるいは次の次のパンデミックやその他の危機が襲うでしょう。我々はそういう地球的規模のリスク環境下に生きていることを自覚し、その事実を受容して、いわゆるニューノーマルの新生活様式の下、どのように芸術制作活動を行っていくべきか、会員一同協議して解を得ていきたいと考えています。

日本書道家連盟

会長　鈴木清蒲　1963年設立

9月横浜市民ギャラリーにて第58回日書家展の開催を目指し対策に奔走。会員ワンチームになり調整に励む。

鈴木清蒲（会長）

外出自粛により生徒が稽古に来られなくなり、学生部会員は30名在籍していたのが約50％減の13名に。一般部についても高齢者が多数を占めこの機に退会する生徒が続出する現状にあります。

総会の開催につきましては実施するかかなり悩みました。会員同士が触れ合うことの重要性を役員一同強い想いで共有しており実施に踏み切った所、会場の万全な感染対策のうえ45名の参加者で無事開催出来ました。実施することの重要性をあらためて感じた次第です。

審査をどうするか、この問題が一番です。会場における多くの制限をいかにクリアするかにかかっており、綿密な対策計画書を作成、会員一人一人に十分自覚して頂いたうえで9月の書展開催を目指している所です。イベント（席上揮毫会）の中止、授賞式は実施し、懇親会は最小限で実施するつもりですが感染状況によっては中止も視野にいれます。とにかく、人と人との直接対面がいかに重要であるかということです。会員同士のコミュニケーションを出来るだけとるよう呼びかけており、各会員がそれぞれ一番適した稽古方法を実現していくことを考えなければなりません。

なにより懸念されることは、公共施設の閉館によって稽古が出来ない状況にあることです。稽古方法の大幅な改革が必要な時期にきています。多くの作家は自宅教場での稽古が主流の中、書を続ける意欲の減退を避けなければなりません。ITを活用した稽古方法を取り入れることも対策の一つと考えられます。特に、ほとんどの人はスマートフォンを使用しているため、作品をスマホで写真撮影し、ライン機能を活用、添削して、稽古の啓蒙活動なども考えられます。すでに実施している人も少なくありません。

書展の有難さは、大きな目標に向かって書活動することで人生の生きがいが生まれてくることです。この時期に書の本質をじっくり見つめ、充分な感染症対策を講じたうえで書展が開催されることを大いに望みます。

大成　浩 ［彫刻家］

国画会会員、日本美術家連盟理事　1939年富山県生まれ

① 表現活動とは何か、人間活動とは何かを反芻している。長年やってきた作家活動が、人生にとっても必須事項であるかどうかということが、毎日頭を巡っている。

② 春の公募展が中止になった。

⑥ ドイツやフランスでは、「芸術は社会に不可欠という共通認識」がある。それ故、今回のパンデミックでも芸術家への支援策がすぐに打ち出された。日本も、そうありたい。

澄川喜一 ［彫刻家］

文化勲章受章者、日本藝術院会員、新制作協会会員　1931年島根県生まれ

展覧会開催を第一に目指して

多くの関係者の方が努力してくださり、私としても期待をしていた横浜美術館での個展*が、開幕から2週間で臨時休館となり、結果的にそのまま閉幕となりましたことは本当に残念でした。これほど残念だと感じたことは、過去に無かったかもしれません。もう一度、このような展覧会のチャンスがあればと願っています。

美術館は空調の管理が徹底しており、基本的には人々が大声で会話をしたり飲食をする場所ではありません。中止はやむを得ないことでありますが、美術館の安全性がこの機会にもっと広く伝われば良かった。私の作品は木を素材としたものが主です。木は呼吸をしています。これも空気を良くしていたはずだと思っています。

とはいえ、今はくじけずに新たな制作を進めています。秋には東京で個展の予定もありますので準備をしていきたい。

現在、各種企画展や公募展について、秋のものでも中止・延期の発表がされ始めています。関係者の安

全を優先するとそのようになりますが、一作家としては発表機会を失うことが残念でなりません。難しい問題ですが、希望をもってぎりぎりまで調整はできないものか。展覧会を開くことを皆で第一に目指していってほしい。

多くの作家は前よりも少しでも良い作品を作りたいと願い、それが叶えば喜びを覚え、励みになります。作家の「命」のためにも、展覧会の開催は不可欠なことなのです。

＊編集部注「澄川喜一　そりとむくり」展は横浜美術館で2月15日〜5月24日の会期予定であった。

橋本堅太郎［彫刻家］

文化功労者、日本藝術院会員、日展顧問　1930年東京生まれ

技術は必ず手に残る

私が藝大2年の時、父・橋本高昇は2度目の特選がとれずに苦しんでいた。私が家計の責任を持つから思い切り制作をして欲しいと云った。

ゴム板に名入れタオルの文字を彫るアルバイトを始めた。どんどん彫れて、バイト料もサラリーマンのお給料よりも高価になった。帰り道、何か淋しくなって新宿のコーヒー屋さんでコーヒーを飲んで帰って来た。

その時のゴム板に小刃で文字を彫る技術は、藝大の時の手板を彫るもので学んでいた。

今も小刃を使う事は得意の技術である。暗く明日がないような学生時代だが、その時習得した技術は私の手にしっかり残っている。

夢のない世の中になってしまったが、技術を持っている我々彫刻家は必ずや明るい陽のあたる日が必ずやって来る。その日まで頭を使い手を使って、輝かしい未来に向って頑張ろうではないか。

今井政之 ［陶芸家］

文化勲章受章者、日本藝術院会員、日展顧問　1930年大阪府生まれ

新型コロナウイルスの悪魔が世界中の人々を震撼させている。早く名薬が発明されることを願っております。夏の高校野球まで中止となり、真夏の楽しみが又一つ消えた。百年に一度の災難が早く消滅するのを願っております。私は家内と共に広島の窯場にて人目を避け、日展制作に精進しておりました。お蔭様で仕事が捗り、コロナ消滅を静かに待つばかりです。

十一代 大樋長左衛門（年雄） ［美術家］

日展特別会員、現代工芸美術家協会常務理事　1958年石川県生まれ

① 海外での個展、ワークショップ、講演（ブラジル、スリランカ）、国内でのスケジュールなどがキャンセルとなり、全ての時間を制作と執筆に当てています。言い換えれば、作家としては充実した日々を過ごしています。

② 第59回日本現代工芸美術展は来年へ延期となりました。緊急事態となるかなり前であったために、予期が難しく苦渋の判断となりました。▼金沢21世紀美術館で開催予定となっていた日展石川会展5／23～（日展巡回展）、日本現代工芸美術展石川会展6／16～　▼金沢市内在住の現代工芸美術家協会に所属する円会展（金沢・香林坊大和）は中止となりました。▼十一代大樋長左衛門の個展（日本橋高島屋）6／3～緊急事態解除直後となり開催。

③・**金沢市デジタル工芸展の企画**

新型コロナウイルス感染拡大は、工芸を営みにする人々にも衝撃的な影響を及ぼしています。

そこで、金沢市と金沢市工芸協会（会長　大樋陶冶斎）は、インターネット上で金沢を拠点とする工芸作家や職人を対象としたデジタル工芸展を催します。未だホームページを持ち得ない工芸家が多い中で、これを契機として金沢市内の工芸家の一覧となるサイトを立ち上げて行くことにもなります。インターネット環境の操作等に慣れない作家には、出品に関してのサポートも実施します。

作家の制作等を奨励するために、この展覧会へ参加する制作費として金沢市は10万円（1人1回限り）を助成することにもなりました。

展示期間（配信期間）：令和2年5月29日㈮〜3年3月31日㈬

展示場所：https://kanazawa-dkogei.com

主催：金沢市、金沢市工芸協会

応募期間：令和2年5月15日㈮〜6月30日㈫必着

・アートマスクプロジェクト

金沢市工芸協会では、約10人の協会に所属する作家にマスクのイラストを描いてもらい、それを実際使えるマスクに縫製（留学生や身障者）して販売し、売上を医療の最前線で新型コロナウイルス感染症に立ち向かう医師や看護師をはじめとする医療従事者の方々に寄付します。

それとともに、イラストを描いた作家には工芸協会が制作費を助成するため、新型コロナウイルスの感染拡大による影響を受けている伝統工芸と伝統芸能の支援も同時に行うプロジェクトです。

早ければ2020年5月中には全員の図案が完成し、染色縫製を行い7月頃には実際に販売予定です。

④　新型コロナウイルス感染拡大は、世界的に大きな影響をもたらしています。経済の再興が必要不可欠であり、アートへの関心は変わらずともアートマーケットは一部を除き衰退することが予想されます。その除外される一部とは、現代アートの領域であると私は推測しています。日本の美術や工芸は、それらの視点を重視しながら推移していかなければならないと考えます。

ほとんどの公募展において、経済的な理由などから出品者は激減する可能性があるのではないでしょうか。作家同士が絆を深め、混乱する社会を乗り越え、リセットされた魅力ある公募展としていかなければならないと思います。

⑤　コロナ禍によってデジタル化が進み、未完成な未来社会が現実となっています。ソーシャルネットワークには、事実とは異なる誤報や捏造が多く、知らぬうちに人々を分断させ、誹謗や中傷を繰り返しています。結果、人は傷つき病んでしまっているのです。

人は、近いうちに必ず救いを求めます。その時こそ、心を表現するリアルなアートが必要なのではないでしょうか。

これから、意を強くした作家のネットワークが進むと思います。そんな彼らのアートによって、人々の心の空虚が埋められていくのかもしれません。おそらくこのことは、日本だけではなく、世界的な傾向となる気がします。

武腰敏昭［陶芸家］

日本藝術院会員、日展理事　1940年石川県生まれ

近くで技を、離れて感性を

新型コロナウイルスで国民全体が不安と危険の中、日々を過しております。美術関係の作家の方々も大変だと存じます。

私も同様ですがアトリエに籠り、現代の生活空間の中でふさわしいデザインを考える良い機会ととらえ、毎日を前向きに過ごしています。一度の焼成に必ず一点、テストとして新しい作品を入れ、一窯一試を大切にし、結果を楽しみに努力を重ねております。

工芸美術は近くで技を、離れて感性を、つまり近技離感が最も重要だと思い自分の信念を貫き制作を続けて行きたいと思っています。

只、悪夢の様な現況が早く終息するのを祈るばかりです。

三田村有純［漆芸家］

日展理事、東京藝術大学参与・名誉教授　1949年東京都生まれ

①　3月の半ば過ぎから、公共交通機関には乗車せず、外出は車で、家と工房の往復の日々です。4年前の大学の定年の際持ち帰った資料の山を片付けています。閉じこもることで途切れることなく以下のこと

に集中しています。
〈制作〉2020年秋の東京、大阪での個展のため作品制作
〈研究〉漆の食用、薬用としての可能性を実証研究
〈資料〉二千膳はある世界の箸コレクションの整理
〈執筆〉『幻の名工　蒔絵師高井泰令』2021年春出版

②・中止となった展覧会
『第59回 日本現代工芸美術展』東京都美術館（4／18～4／24）
『立体造形富士山展』大阪髙島屋（4／1～4／7）、横浜髙島屋（4／29～5／5）
・延期となった展覧会
『与謝野晶子幻想～百選会から広がる美と造形展』日本橋髙島屋（5／13～5／19）→8月半ばに延期

③　一切の出会いの場が無くなり、SNSで連携のとれる範囲で世界の作家仲間との情報交換をしています。どの国もこもっているのが現状で、新しい作品の傾向をお互いに見せ合って刺激を受けています。オランダ、中国などの海外での展覧会と交流事業が中止になりました。漆を通した国際交流の発展が私の生きる姿勢ですので、今後のことについてより緊密にSNSを通しての意見交換をしています。

④　国内公募展を始め、全ての今までの価値体系が変革すると考えています。2019年以前の状況にはもう戻れません。新しい分野の芸術表現が生まれ、発表活動もこれまでにない方法が出てくると考えています。

⑤　人も物も動かないけれども情報だけがSNSにて行き来する時代です。ただ芸術は本物に触れることでしかその感動を体感することはできません。再び作品と人との出会いの場が実現できるように、今は腰を据えての準備期間に当てることが肝要と思います。
　バーチャルな体験ではなく、本物に出会うことで人々は感動を受けて新たな人生を構築することができます。芸術全般が果たす役割はこれまで以上に大きくなり、多くの人々に求められるようになります。

吉田美統 ［陶芸家］

重要無形文化財「釉裏金彩」保持者　1932年石川県生まれ

① 外出出来ない状況は大変不自由でかなり行動が制約され、制作活動にも影響がある。
② 多くが中止、延期になっていて下半期がどんな状態になるか見当がつかない。
③ 現在の状況では連携や関わりもいちからやり直さなければいけない。
④ 以前の状態にもどるには時間がかかると思われる。厳しい状況の中ですべて考え直さなければならない。
⑤ 自分の技法を更に磨き上げる努力をすることのみである。又、すべての伝統工芸において、古くから用いられてきた素材が枯渇して絶えることのないよう、手を打たなければならないと考える。

新井光風 ［書家］

日展理事、読売書法会顧問、謙慎書道会顧問　1937年東京生まれ

① 書は造形性と精神性の調和が必要だが、この時期の作品制作には気持的に困難が生じてくる。外に出ることが皆無になり、表現活動のリズムが大きく変化したが、この空白のような期間を新型コロナ終息後の、より豊かな表現活動を展開して行く上での準備期間としたい。
② 展覧会の中止は、人間の命にかかわる日本の一大事なことなので、やむをえない。だが、情熱的に展覧会出品に挑戦された若い人達のことを考えると、なんとも残念。
③ 今、お互いにどうしようということではないようで、私は、一人静かに自らの足もとを見つめ直すいい機会だと考えています。
⑤ 全身全霊をかたむけて、全力で作品を書く。それがすべて。何が出来るか。書のもつ力、文化芸術の力は、そこから始まると考える。人間が生きていく上で最も大きな力になるに違いない。

池田桂鳳［書家］

日展会員、読売書法会顧問、日本書芸院名誉顧問　1935年京都府生まれ

① 展覧会で規定される作品サイズや締切日など一切意識せずに、作品制作に挑むチャンスととらえ、大いに冒険してみるのも面白いかも。唯し、本筋は見失わずに。

② 止むを得ない。

③ 目に見えない凶害物に人類は翻弄され喘ぎまくっている。新型コロナウイルスに限らず、この種の小悪魔から人類は逃れることはできないであろう。大人も子供もストレスを溜めている。この時期、心を癒し、気持ちに安らぎを与える役割が芸術美術に求められる。展覧会ではなく、小品でいいから心安まる作品を病院や隔離施設に寄贈するのはいかがでしょうか。

④ 作品より名声・肩書きなどが評価規準になっているのが現実である。一組織に属している作家でいる以上はある程度仕方がないことであろう。名声・肩書きを求めようとする者はそれはそれで良し。本来はそのようなことは意に介さず作家それぞれが理想を掲げ、惑うことがあろうとも自らの道を歩むことである。日本ならではの美を求めつづけて行くこと、これがテーマです。

⑤ 美術家はただ作品をつくるだけ。その作品がどう評価され扱われるかは解らない。涙を流して喜んでもらえるか。ゴミ箱に捨てられるか作品次第です。

薄田東仙［書家］

毎日書道会理事、全日本書道連盟理事、日本刻字協会会長　1948年新潟県生まれ

① 出張が中止となった分、家での制作が出来た。

② しかたがない。

③ 電話、メール等で。

④ 初めての事なので全くわからない。

⑤ 人の心の「いやし」となれる様に。

井茂圭洞［書家］

文化功労者、日本藝術院会員、日展理事　1936年兵庫県生まれ

コロナに想う―芸術文化の力を信ずるとき

この度、中国の武漢市で発生した新型コロナウイルス感染症のため、わが国でも緊急事態宣言の発布の下、経済界、芸術文化のあらゆる分野において大変な痛手をこうむりました。そして、芸術分野では博物館、美術館などは閉館し、諸団体で計画された展覧会や催し物は中止を余儀なくされました。

書道界においても展覧会、研究会はいわゆる三密の恐れがあり、人命にかかわることですので、当然中止となりました。いうまでもなく書の研究は室内での個人の研鑽ですので、外出の自粛は何ら影響のないことであり、時間の余裕が筆を持つ時間の増加につながることには違いありません。私も普段より多くの臨書ができました。その折に、恩師深山龍洞先生の「離れ小島で一人で書作することは、時間的には結構なことですが、書き上げた作品を当を得た場所で発表し、第三者の評に耳を傾けることも今後の研究には必要なことではないか」というお言葉をふと思い出しました。

先生は、「人間は個人では生活しにくい。何事も集団の中の一人である」という自説を持っておられました。今回、ひしひしと実感いたしました。

立場によって違いはありますが、先達、批評家同僚のご意見を拝聴することは、それに従うか否かは別にして、必要なことであると感じました。

いただいたご意見を取捨選択してより自己主張に傾くか、ある部分を取り入れるか、聞く耳を持って立ち止まる機会を与えてくれたと考えるか、いずれにしても人間は独りでは生きてゆけない動物だそうですので、人との接触はいい作品を制作するためにも必要なものではないかと考えております。

パンデミックの後は今までのような書道界の発展、書の普及については大きな変化が生じるものと思っております。

指導法についてもオンラインの利用も考えねばならないでしょう。スマホを使えない私も、昨年の夏に

機械だけは購入しておりましたが、今回必要性を痛切に感じ、もっと書の勉強に使いこなせなければとの思いに至りました。

科学の世界は勿論のこと、スポーツの分野でも裸眼では確認しにくい一瞬の出来事を機器を活用する事で選手、コーチは技術の向上に役立てております。

書道の世界におきましても、今までは技術、勘を養うことに重心が置かれていたため、あまり重要視されていませんが、今後は機器を用いた指導も広まっていくのではないかと思っています。

展覧の計画や書の研鑽において機器を利用することで、人間の目では検知しにくい部分、例えば筆の一瞬一瞬の動き、つまり筆の外形がどのように変化して生きた線が引かれていくかという様子を静止した状態で観察できるなど、あらゆることについて時間をより上手に使う勉強法が取り入れられる時代になると思います。

今はお互いに、不安なことばが先行しておりましたが、心を和ませ、勇気づけてくれるのが芸術の持つ役割の一つですので、ほかの芸術分野の人々と共に書家も斬新な作品を発表し続けましょう。

英国の詩人シェリーの詩の一節、「冬来たりなば春遠からじ」のように、ピンチはチャンスであるとの思いで今後の書道界、そして魅力ある令和の書を創造しようではありませんか。

以上、思いつくままに。

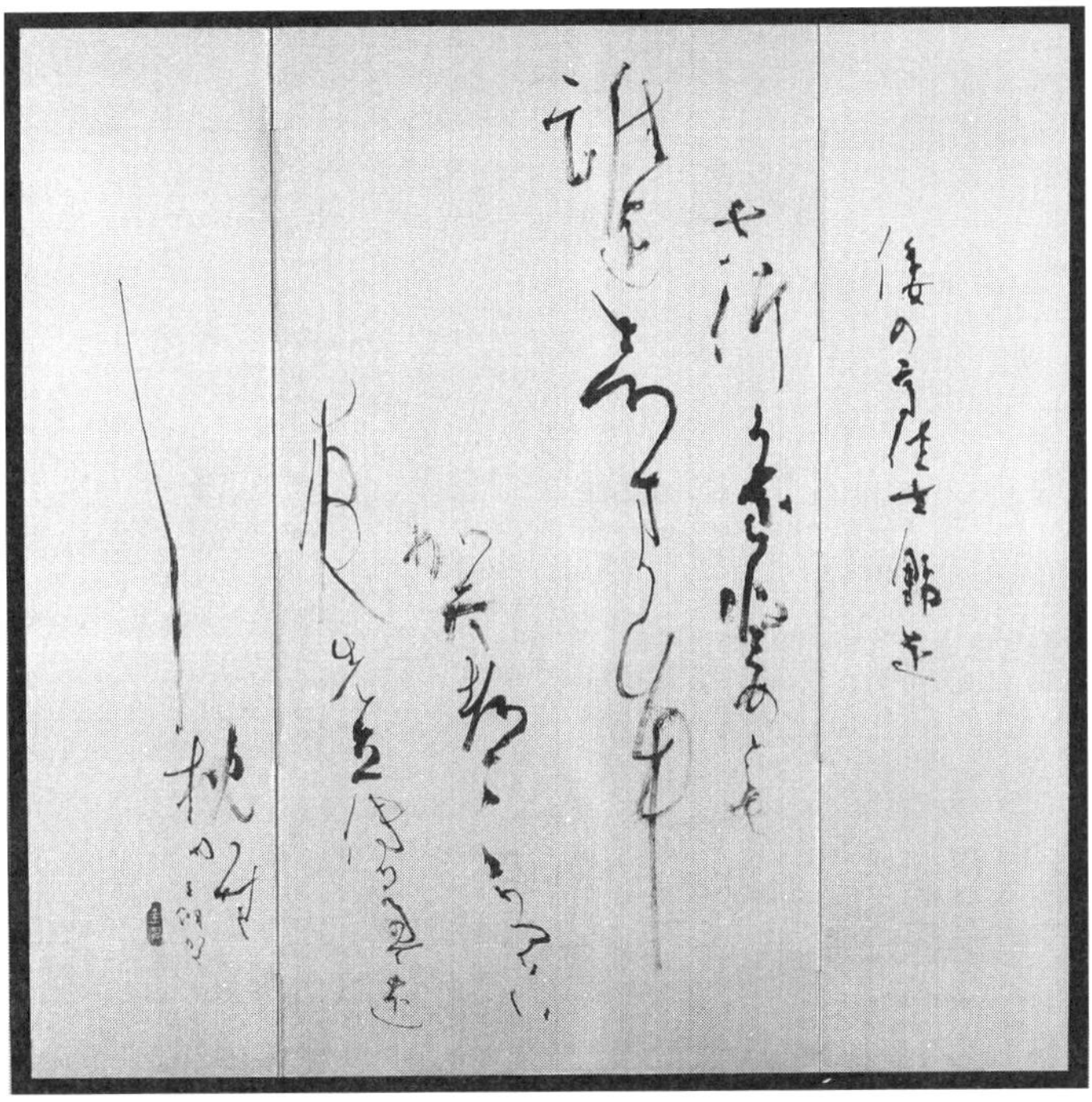

井茂圭洞「七人のをとめ」101.0×99.5cm
倭の高佳士野を七行くをとめども誰をしまかむ　かつゝゝもいや先立てるえをし枕かむ（古事記）
書業六十五年記念 井茂圭洞展（和光ホール）

尾崎邑鵬［書家］

文化功労者、日展顧問、読売書法会最高顧問　1924年京都府生まれ

① なるべく家に居り、外出を控えております。主催する書展も中止となり残念ですが止むを得ません。連日1時間、爨龍顔碑*の臨書をしております。楷書でしっかりとものにしたいと思っております。

＊爨龍顔碑（さんりゅうがんぴ）：中国・南北朝時代、南朝の宋で大明2（458）年に建てられた地元豪族の墓碑。

② 止むを得ません。明年にかけて準備します。

④ 一年で元通りとはならないかも知れないが、以前の状態にもどると思います。私共もそのように努力しないといけません。

⑤ 政府、知事の言っておられる事を100％は出来ないかも知れないが、極力それに従うように活動しなくてはいけません。そのように努力します。

⑥ 読売書法展、由源展の出品作品を書かないのですから気分的に少々ふぬけの状態でしたが、楷書を懸命に練習しており気分はしっかりして来ました。

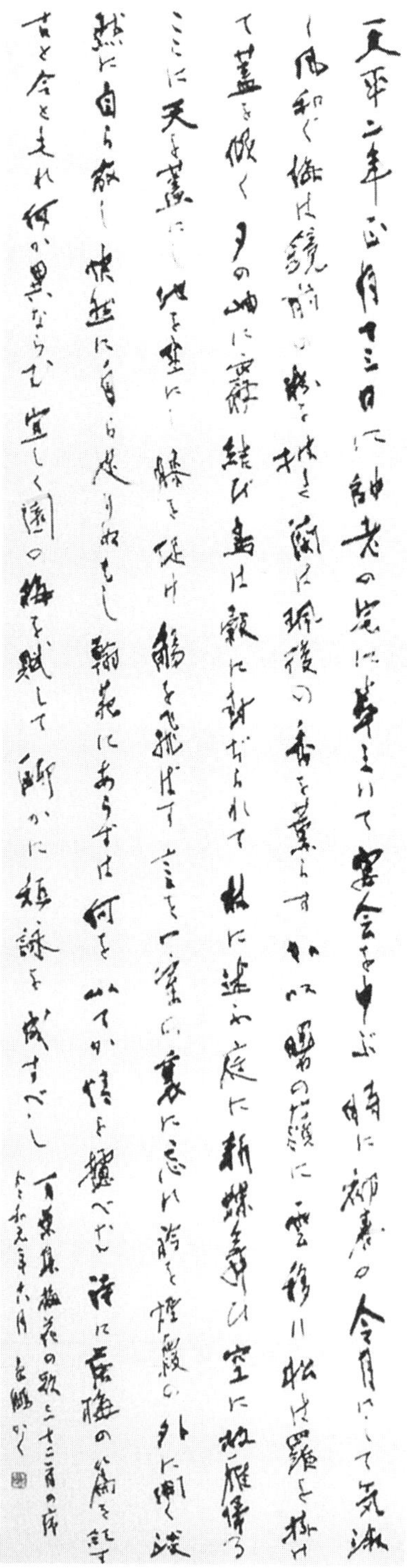

尾崎邑鵬「梅花《ばいくわ》の歌三十二首并《あは》せて序」288×80㎝

天平二年正月十三日に、師老《そちのおきな》の宅《いへ》に萃《あつ》まりて、宴会を申《の》ぶ。時に、初春の令月にして、気淑《よ》く風和ぐ。梅は鏡前の粉《ふん》を披《ひら》き、蘭は珮後《はいご》の香を薫らす。加以《しかのみにあらず》、曙《あさけ》の嶺に雲移り、松は羅《うすもの》を掛けて蓋《きぬがさ》を傾く、夕《ゆふへ》の岫《みね》に霧結び、鳥は縠《うすもの》に封《と》ぢられて林に迷《まと》ふ。庭に新蝶《しんてふ》舞ひ、空に故雁帰る。ここに天を蓋《きぬがさ》にし地《つち》を座《しきゐ》にし、膝を促《ちかづ》け觴《さかづき》を飛ばす。言《こと》を一室の裏《うち》に忘れ、衿《ころものくび》を煙霞の外に開く。淡前に自ら放《ゆる》し、快然に自ら足りぬ、もし翰苑《かんゑん》にあらずは、何を以てか情《こころ》を攄《の》べむ。詩に落梅の篇を紀《しる》す、古《いにしへ》と今と夫れ何か異ならむ。宜しく園の梅を賦して、聊《いささ》かに短詠を成すべし。

万葉集梅花の歌三十二首の序　令和元年六月　95歳 邑鵬かく（万葉集）第43回由源社全国書道展（大阪市立美術館）

日展名誉会員、読売書法会顧問、日本書芸院名誉顧問　1934年静岡県生まれ

杭迫柏樹 ［書家］

①

古典臨書（全臨三昧）

・臨書は吸う息

・制作は吐く息

　なので存分に吸う息を……

②

中国での「日中韓オンライン名家書法展」（計100名）に出品。開幕式（京都・壬生寺）に出席、揮毫。

（日本側主催＝日本中国文化交流協会）

出品作　1．温故知新　2．積善之家必有餘慶

③

中国詩人・林宏作氏との交流

〈氏の作詩を迫樹が書作品化〉

連日のように継続中

④

価値感の転換

「書」の場合

公募展主体 → 生活空間に生きる書（暮らしの中の書）

⑤

混沌からの出発

◎迷ったら原点にかえれ

三原則
1．多角的に見る
2．長い目で見る
3．根本を見る

⑥　知人に別紙「朝の来ない夜はない」を手紙の代わりに送っている。

黒田賢一［書家］

日本藝術院会員、日展副理事長、読売書法会最高顧問　1947年兵庫県生まれ

①　外出を控え、会議等は電話等を利用し、門下の指導は中止したり通信に切り替える等、コロナウイルス感染拡大を防ぐために行動を自粛している。作家としては、通常生活が戻った時に備えて作品制作を行う一方で、ふだんより時間にゆとりがあるので、古筆臨書や書を学ぶ人たちの参考となる資料作成等にじっくり取り組んでいる。

②　コロナウイルス感染拡大を防ぐためにはやむを得ないことである。ただ、展覧会等が中止・延期となる中で、創作意欲や目標を失って書を離れる人たちがいる。今後もそうした人たちが増える可能性は大きい。また、表具店、書道用品製造・流通業者も苦境に陥っている。書道文化そのものの危機である。現状が続けば、日常生活を取り戻しても、書道文化の活力は取り戻せなくなってしまう。状況次第ではあるが、早期再開に向けて展覧会運営等を工夫する必要がある。

③　学校においては、休校の影響で書写・書道教育が中断している。学校再開後も、遅れを取り戻すために主要教科に重点が置かれ、書写・書道教育が十分に行われないことが予想される。また、書道部活動も停滞している。社会においても、展覧会活動の中止・延期等で活気が失われ、経済的なダメージで書活動にかかる経費を負担しにくくなっている。書作家としては、授業補助等の書写・書道教育を支援する取り組みを行うべきである。また、書作家同士やマスコミとの連携によって、参加者の経費負担が少ない地域の書道展や書道教室、ミニ解説会等のイベントを工夫し、書道文化の活性化を図りたい。今、医療従事者

をはじめとして最前線で頑張っている人がいる。経済的に困窮している人もいる。そんな状況を踏まえ、病院や役所等の一般の人が集まる場所に、書家なら「希望の持てる言葉」を、画家なら「明るく元気の出る絵」を展示するのも、誰かの力になれるのではないか。

④ 経済的ダメージにより、美術展等は出品者の激減が予想される。また、美術では生活できないという理由で、若い世代が美術を指向しなくなる可能性も高い。衰退が懸念される一方で、美術の価値が再認識される希望もある。生きるために衣食住は不可欠だが、自粛自粛の日々の中で、ただ生きるのではなく豊かに生きるには文化・芸術が必要だと実感している人が多いと思われる。ピンチはチャンス。衰退か隆盛かは、舵取り次第ではないか。

⑤ 魅力的な作品を制作することに尽きる。その作品をどのように提供するかは、美術館に展示するという従来の形に加え、様々なネットワークを利用して作品を鑑賞者に届けるような取り組みも探る必要がある。自粛の日々を少しでも快適にと、音楽家やスポーツ選手がYouTubeで動画やメッセージを配信している。美術家も自宅でできる美術活動や自宅で楽しめる美術情報を流せばいいのではないか。また、個人ではできないが、経過措置として公募展の出品料軽減を図る、若い世代を育成し支援するシステムを構築する等、短期的・長期的な展望をもった美術振興方策を実施できたらと思う。

⑥ コロナウイルス感染状況とその影響は地域によって異なる。また、第2波、第3波も懸念される。美術界においては、全国的な取り組みに加え、都道府県単位、市町村単位の小さな枠組みでの取り組みを工夫することで、コロナ禍に対応しやすくなるのではないかと考える。

髙木聖雨 [書家]

日本藝術院会員、日展理事、読売書法会常任総務、謙慎書道会理事長　1949年岡山県生まれ

① 新型コロナウイルスによる緊急事態宣言が発令され、今まで経験したことのない自粛生活となりました。作家にとっては大変なロスタイムですが、このピンチをチャンスにとらえ、事前に作品制作、原稿創りをし、ポジティブに前向きに生活しています。

②　公募団体展の中止が相次いでいます。我々の主催いたします第82回謙慎書道会展は3月上旬に審査を終了、開催を待つばかりでしたが中止といたしました。作品制作された公募の皆様に展示されないと言う申し訳ない気持ちで４０００人の撮影を行い、各自ブロマイドを5枚ずつ配布し、開催の代わりといたしました。一度作品制作をお休みすると次年度大きな影響が予想されます。その為、お弟子さんに運筆など動画配信したところ、大いに喜ばれ、筆と親しんでいただいているようです。
③　自粛のため作家同士も連携は難しく、研究会もできない寂しさがあります。コロナウイルスは本当に怖い病です。皆様くれぐれも三密を避け御身体ご自愛ください。

土橋靖子［書家］

日展監事、読売書法会常任総務、大東文化大学特任教授　１９５6年千葉県生まれ

①　コロナ禍の中、テレビのニュースを見るにつけ、医療従事者の方々への感謝とこの緊急時に何も貢献できないことへの自責の念を抱えつつ、私自身この自粛期間を如何に過ごすかを考えていました。まずは当面開催予定の展覧会作品制作。そして資料や材料の整理。さらに数年前より手がけ、準備を重ねてきた長丁場の作品制作。誠に不謹慎ながら私にとって今までにない貴重な時間となりました。
②　緊急事態宣言の前後より、未知のウイルスとの闘いにより、中止・延期を余儀なくされたのは残念ではありますが、致し方ないと思います。今後、この空いた時間を充電と捉え、状況を踏まえつつ、より内容の充実した展覧会になればと、私自身、身を引き締めています。
③　所詮、作家は孤独ですが、各々の世界の振興という点では手を携え努力していきたいと思います。また「表現」は見て下さる方があってのもの。それが作家同士を超えて地域社会に広がり、何かを感じて下さる方々が増えるのはありがたいこと。しかしそれは自分がより成長してのことで、社会貢献もこれから積極的に取り組んでいけるよう努めたいと思います。目下、出身の千葉県市川市との繋がりを育んでいます。
④　一旦、社会経済の沈滞とともに勢いが減じるかもしれませんが、私が実感する限り、ほとんどの人がコロナ前の日常であった書との関わりを望んでいます。さらに、士気を下げない努力、工夫をしつつ、新

しいエネルギーを伴った活動をしていくことで、元気が取り戻されていくのではないでしょうか。

⑤「ウィズ・コロナ」が続き、オンライン化が急速に広がる中、人と人との触れ合いが益々希薄になることを憂慮しています。この空虚感に必ず気づき、これから人の温もりや魂に触れることの大切さを、より求められる日が来ると確信しています。そのような時こそ、さらに鑑賞者の皆様に作品を通して、生き様や思い、情熱や癒しを伝えられる芸術が必要とされるようになると思います。私も一層の努力を重ね、その時々、「何か」を伝えられる仕事をしていきたいと思っています。

仲川恭司［書家］

毎日書道会理事、独立書人団理事長、専修大学名誉教授　1945年新潟県生まれ

① 私の日常生活の大半は仕事場で過ごすことが多く、作品制作、原稿執筆、調べもの、所属団体等の仕事等々で、閉じ籠っていることが多い。今度の新型コロナウイルス感染拡大の影響によって美術館は閉館、画廊にも行かないで、外出は気分転換の散歩ぐらいに抑えている。

② 公募団体展の中止は、未知のコロナウイルス感染拡大の防止のためにはやむをえない苦渋の決断である。出品者もこれまで続けてきた者にとっては気持ちが削がれてしまうことになり、残念であろう。たとえ強引に開催することにしても、感染者を出す危険を犯し、出品者は表装をし、出品料を払って展示されても、どれ程の人が交通費を払って鑑賞に来るかも分からない。

③ 地方の県展は公的な会場の美術館で開催されるので、県の管理下で判断される。市展などはやはり教育委員会の見解を伺うことになるのか。地域で毎年あったものが開催されないと、地域の活性が停滞してしまい、また出品者同士の集まりがなくなるとさびしくなる。

④ 公募展はこれを機会に出品する人が少なくなる傾向にあるので早めに次への対策を考えたい。また、大勢で行う練成会、作品制作会等はワクチンが出来ないと安心して参加しないのではないだろうか。また、公的な大会場、体育館、会議室など使用できにくくなるので、一日も早く元のように貸出しできるようにして欲しい。これまで少子化に伴ない高齢者によって支えられてきた部分もあったが、それと別に将来に

向けて新しい展覧会のあり方や方策を練る必要が来ているのかもしれない。

⑤　芸術文化は人間が生きて行くためには真・善・美など心に潤いを与えてくれるものとして欠くことの出来ないものである。そうした観点から、人間だからこそ出来る仕事として活動する。また、自分が今日筆を持って活動できているのは書くのが何より好きだったことや周りの支えがあったればこそ続けられた。その恩返しを考えた時、私なりにどのようにしたらできるのか、今、考えている。

中野北溟［書家］

日展会員、毎日書道会最高顧問、創玄書道会最高顧問　1923年北海道生まれ

①　故郷の「書の北溟記念室」（羽幌町・中央公民館内）に設けられている作品収蔵のための更なる作品の選定に、現在の作品や北海道書道展（北海道新聞社主催）への作品制作や、毎日書道展（来年への延期—従来展）に代わる紙上展の制作やその他。

②　公募団体展に関わる、毎日書道展、創玄展、日本の書展、その他は計画に沿って動いている。一部安心の感はあるが、部分的に不安もあり落ちつかぬ。日展はこれからのことなので、状況をみて対応ができる。

④　現況のままではいけないと思う。コロナに負けぬようコロナ状況を勘案して、活動を展開せざるを得ないと思う。

日比野光鳳［書家］

文化功労者、日本藝術院会員、日展顧問　1928年京都市生まれ

①　来客もなく発表する場もないので静かに暮らしております。

②　昭和から平成と続いてきた仕組みの、現状に合わない部分が淘汰されるきっかけになると思うので、これからのためになるかもしれません。

③　展覧会よりも、この横のつながりが切れることの方が良くないです。各々が刺激し合って自分を高める機会は少なくなってはいけないと思います。

④　大作を作るスペースとか費用を考えると今後は明るいとはいえないですが、いずれまた時代にあった才能ある人が現れて、美術が大いに見直されるときが来ると思います。
⑤　それは各自によって違うと思いますが、自分の技術を磨くことはどんな状態でも諦めない方がいいですね。
⑥　これから作品を世に問いたいと思っている若い作家のみなさんが大変だと思います。若い人が美術展になるべく安価で出品できるようになっていってもらいたいです。

星　弘道［書家］

日展理事、読売書法会常任総務、日本書作院理事長　1944年栃木県生まれ

①　国の呼びかけ通りの生活をしているが、作品制作についてはは時間があるのに、いまひとつ乗らないです。
②　公募展の中止がありましたが、グループ展は開催するつもりでおります。
③　電話・メール等でのやり取りはあるが、直接会うことは避けています。地域も同じです。
④　コロナウイルスの特効薬が出来ない限り、種々不自由な状況が続き、大変だと思う。然し、そういう中でも人類の英知の働きで乗り切る力が出るように思う。
⑤　作品を見た人が元気を出してもらえるような作品を制作出来たらと思う。
⑥　ひとつが崩れるとその周辺も駄目になってしまうので、ふんばりたいと思います。

真神巍堂［書家］

日展会員、読売書法会常任総務、日本書芸院理事長　1943年京都市生まれ

①　作家以外に寺の住職、保育園園長、大学教員、書道団体役員等の仕事がありましたが、現在は本来の住職以外は殆ど何もなく毎日書三昧の生活です。
②　関係する団体の展覧会が中止になりました。上記の通り書作家三昧の毎日で、いかに雑務に追われていたかを痛感しております。

③　展覧会の中止等の動向を決定するために先輩諸氏の御意見など伺うことでの連携は増えましたが、基本的に外出を控えているため全て電話連絡のみです。本来の書家の生活に戻ったようで毎日楽しく暮らしております。

④　先にも書いた通り私自身は本来の書家の生活に戻った感がいたします。特に書道界は雑務に追われる事が多いと感じますが今回はコロナによってその感を強くしました。やはり作家は作品制作に時間をかけるべきで、今回はこの大切さを気付かされた良い機会であったと思います。

⑤　今回の問題で我々が積極的にできる事はこれといってあるとは思いませんが、感染しない努力をし終息を待つしかないと考えます。とに角、空いた時間、一時間でも多く筆を持つ事で新たな発見があるかもしれません。

⑥　我々の周りの他分野の作家はもっと制作に時間をかけておられます。書道界は雑務が制作の時間を圧迫しています。現在のような毎日で制作できる事を願っています。

美術館の今——時代の分岐点——

コロナ禍のこれから

（初出：新美術新聞２０２０年８月１・11日号３面／８月21日号６面）

コロナ禍の美術館の使命

兵庫県立美術館館長　蓑　豊

国内の感染拡大が本格化した3月初頭、兵庫県立美術館では、「ゴッホ展」会期の後半に入ったところだった。政府の自粛要請に伴い、3月4日から15日まで臨時休館、17日より再開したものの、3月20日より再び臨時休館し、会期末まで10日を残してゴッホ展は中止となった。

休館・中止は大変残念ではあったが、来館者とスタッフの命は何より大事であり、6月2日からの再開に際しても、感染拡大予防に万全を期している。事前予約制とキャッシュレスによるチケット購入制度を導入し、来館者には入館時にサーモグラフィーによる検温を実施、連絡先の記入もお願いしている。スタッフはマスク、フェイスシールドを着用し、こまめな手洗い・手指消毒を励行、毎日検温を実施している。

これからの日本の美術展は大きく変わるだろう。海外の美術館から名品を集めるブロックバスター展はできなくなり、自館のコレクションや国内の作品を有意義に活用して展覧会を企画することが求められる。各美術館にとっては、コレクションを拡充する意義が一層高まり、展覧会の基本に今一度立ち返る機会となる。いかに目を養い、良い作品を集められるか、学芸員の力が問われる。国内の美術館に加え、企業で名品を持っているところも多く、調査力や、海外の専門書を読めるように語学力を磨くことも必要だろう。

そしてコロナ禍の現在は、画面を通してではなく、作品を直に鑑賞することができる美術館という場所の貴重な価値が再認識される時でもある。本物に直接接して心を動かされてこそ、感性は育まれる。「来館は少人数で」「展示室での会話は控えめに」の今は、美術館で一人一人が好きな作品を見つけ、自分が感じることに心を傾け、作品と自分との間で語り合う絶好の機会。そのためにも、美術館は、たとえ数が少なくとも本当に良い作品を紹介する場所でありたい。現在のような状況だからこそ、美術館が、多くの人に、考えるきっかけや感動、勇気、希望、生きる力を与える存在となることを願ってやまない。

日本の美術館は総合力を強化すべき

国立新美術館館長　逢坂恵理子

撮影：石内都

自由な時間に美術館に赴き、友人と語らい、ギャラリートークに耳を傾けながら作品をじっくりと味わう——それまで当たり前だった美術館での作品鑑賞体験が、長い間中断されるに至った。新型コロナウイルスの世界的蔓延は、日本の展覧会制度を揺らし始めている。

いかに魅力的な展覧会を構成しても、鑑賞者が存在しなければ、展覧会自体の目的が瓦解する。開館に向けて三密対策のために急きょ導入した予約制度は、来場者数確保にはなかなか結びつかない。欧米の有数な美術館コレクション展に代表される大量動員展は巨額が必要で、来館者数が確保できなければ新聞社との共催は難しい。公募団体展も今年度前半はキャンセルが続いている。コレクションがない当館の運営持続は深刻である。

しかし国のアイデンティティをも示す美術館とは、経済状況や社会状況が変わっても、時代を乗り越えて継続すべき組織だ。私自身はＡＩ化が進む世の中で美術館の役割は小さくないと考える。人間存在そのものにかかわるアナログ的な活動を重視し、美術館が人間、自然、社会の多様性を伝え、人間性を回復する場として機能すると考えているからだ。

困難な時代に、国が対立し政治で解決できないことも、アーティストや作品がもたらす多様な視点や未来を見据える視点は、人々に新たな気づきや共感、連帯を促すこともできる。一方、美術館は過去、現在、未来を結ぶ視点がなければ運営することはできない。壮大な歴史や人類の財産を担っているにもかかわらず、日本の美術館組織は弱小企業的だ。

組織は人なりである。時代を見据え、学芸員だけでなくレジストラー、教育担当、アーキヴィスト、広報、展示や情報の技術者、危機管理者、修復専門家など多様な専門家を雇用できる制度に切り替え、未来に向けて日本の美術館が、市民社会に欠くことのできない組織として自立し更に機能できるよう、美術館内の総合力をむしろ強化すべきと思う。

新型コロナウイルス以後の美術館

長野県信濃美術館館長　松本　透

勤務先の長野県信濃美術館は、現在、新しい本館を建設中（２０２１年春開館予定）。すぐ隣の東山魁夷館の方は昨秋、改修がおわって一足早く開館したが、４月17日から臨時休館となり、ようやく6月1日に再開館した。

再開館といっても、入館者数の上限設定（1時間当たり50名）、非接触体温計による検温、氏名・連絡先の記入といった条件つきの開館である。初日の入館者が30数名と聞いて少しさみしい感じもしたが、自制のはたらいた、落ち着いた数字ではないかと思う。

せっかく飾りつけた作品をお見せできないという状況下で、当館も休館中に早速、ギャラリー・ガイドの動画配信（YouTube）をはじめたが、おかげで一つ気づいたことがある。動画による展覧会紹介は、これまでどちらかというと宣伝・集客手段のように思われてきたが、美術館に行きたくてもいろいろな事情で行けない方はきっと大勢いるであろう。そういういろいろな事情を念頭に置いて動画版ギャラリー・ガイドなどを作ると、これまでなかったようなプログラムが生まれるのではないだろうか（美術館は、美術館に来ることのできる人の方だけを向いていていいのだろうか？）。

東日本大震災のあと、やはり多くの美術館が臨時休館を余儀なくされたが、とはいえ今回のコロナウイルス禍は、水害・地震など従来の「自然災害」とも、大震災が誘発した「社会災害」（原発事故）ともまったく異なる。

人間社会というものは、要するに接触しあうこと、そのために集まること、移動することによって成り立っている。濃厚な接触はわたしたちの生活習慣に染みついた行動様式であり、願望でさえあるといえよう。そういった社会習慣の根っこを直撃されたのであるから、まさしく「コロナと共に生きる」――わたしたちは人と人のつながり方を一から点検しなおし、構築しなおさなければならない時代に入ったということであろう。ワクチンが開発されるまでの辛抱といった声も聞かれるが、そう簡単に行くものかどうか。現代のグローバル社会は、医療体制などの地域格差以外にも、ありとあらゆる社会条件や生活様式の違いを抱えているからである。これまで、ときには「密集」をよびものにしてきた美術館という施設もまた、人の集まり方、つながり方、情報発信・受信のあり方を再構築しなければならなくなった。

新型コロナウイルスが美術館運営にもたらしたもの

石橋財団アーティゾン美術館副館長　笠原美智子

アーティゾン美術館は２０２０年1月18日に開館した。当初から日時指定予約制や最新の換気システム、スマホによる無料音声ガイドなどを採用した。チケット購入や入館のための混雑を減らし、時間枠の人数制限によって、人の頭越しで作品を観ることのないよう、展覧会をゆったりと鑑賞していただける環境を提供するためである。

開館記念展「見えてくる光景 コレクションの現在地」展は、新型コロナウイルス感染症予防対策による臨時休館を3月3日から15日まで余儀なくされたが、その後は再開し、3月31日までの会期を全うできた。お客様に快適に鑑賞していただくための日時指定予約制や換気システム等が、偶然とはいえ、コロナ対策にも威力を発揮した。

緊急事態宣言により4月18日から予定していた３つの展覧会（「ジャム・セッション　鴻池朋子　ちゅうがえり」展、ヴェネチア・ビエンナーレ帰国展「Cosmo-Eggs｜宇宙の卵」展、「コレクション」展）は6月23日から、夏に予定されていた海外展「モネ─風景への問いかけ」展は来年に会期を延期した。

開催にあたっては検温やマスク、シールド、ソーシャル・ディスタンス、夜間開館やギャラリー・トークなどの当面の中止など感染予防に万全を尽くしている。

アーティゾン美術館はそれでも新型コロナウイルスの影響を最小限に抑えられていると思う。それはブリヂストン美術館時代から現在まで営々と収蔵作品を充実させてきていることが大きい。豊かなコレクションがあるゆえに、例えば海外からの大規模な貸出ができなくなったとしても、工夫して展覧会を続けることができる。また企画展においても、決して入館者数や話題だけを追わず、地道な調査研究の上に成り立つ企画展を開催しようとしてきた姿勢がこうした危機の時代に生きてくる。美術館の役割とはなにか。様々な役割があるが、最も重要なのは、わたしは過去から現在の芸術を未来に繋げることだと思う。

大原美術館の窓から見るコロナ禍

公益財団法人大原美術館副館長　森川政典

第四次大戦とも言えるCOVID-19は人々をパンデミックに追い込み、人類の歴史や考え方を変えるほどの脅威をもたらしました（第三次大戦は地震や河川が氾濫する自然災害と捉えています）。

近年は眼に見えぬ敵と戦う日々、不安定なストレスの溜まる社会環境であればこそ、ミュージアムとして開館し続けたいと思う関係者は多かったことと拝察いたします。1930年に開館した大原美術館は絵画の疎開を経験し、戦時下を生き抜いてまいりました。その思いも打ち砕かれ、4月11日から臨時休館することになり苦渋の選択を迫られました。

本年は節目の年、11月5日には開館90周年を迎えます。特別展や記念式典はやむなく中止や延期とし、直接来館できないお客様に対してワークショップや美術館の解説をホームページ等活用し発信することを心掛けてまいりました。オンラインも積極的に導入する中、ある高校とZOOMで職業体験を行っています。「対話型アート鑑賞」を授業で実施することで、参加者同士の交流や美術館の役割を知ることにつながり様々な学びの体験を深めています。

一方、融資や助成に関する事業者支援の枠組みは、公益財団法人が対象とならない事が多く難局に直面しました。今後、公益財団法人に対する会社法や中小企業基本法等の見直しも求められます。私たちは、公益財団法人でも入館者数を柱とした経営を基盤としてきた私立美術館ですが、これからは入館料収入のみならず、バーチャルをはじめ来館できないお客様へも大原美術館の歴史や魅力を「物語」として届ける工夫が求められています。加えてサポーター制度の更なる充実や課金システム構築といった新たな楽しみ方の創造に向けた事業推進のチャンスと捉え、ワクワクドキドキを体感したいと考えています。

倉敷の地にある小さな美術館は、作品に支えられながら鑑賞する美術館から一歩踏み出し、作品の魅力に加え「物語」を主軸に皆様と共に歩み続けてまいります。

コロナ後も岡本太郎と歩む

川崎市岡本太郎美術館館長　北條秀衛

令和2年4月11日から6月1日までの間コロナウイルスで全館臨時休館を余儀なくされたが、これは開館以来の出来事であった。春の企画展 F・バシェ生誕100年、日本万国博覧会から50年「音と造形のレゾナンス―バシェ音響彫刻と岡本太郎の共振―」も会期を短縮して実施せざるをえなかった。この間美術館では⑴臨時休館中にできること、⑵再開館に備えて行うこと、⑶コロナの時代に美術館はどうあるべきかを考えることとなった。

⑴の臨時休館中にできることでは、〈バーチャルミュージアム〉と題して企画展と常設展の高画質映像を配信し、館内を自由に動き回り360度の視点で見ることができる試みをした。〈ホームページコンテンツの充実と配信〉により打楽器演奏者による演奏、企画展を紹介する動画の紹介。〈どこでも太郎アトリエ配信〉として自宅で岡本太郎のミニチュア作品作りや絵画の塗り絵をして遊べる企画も行った。

⑵の再開館に備えて行うことでは、博物館における新型コロナウイルス感染拡大予防ガイドラインを導入し三つの密への徹底した対策を実施。岡本太郎の等身大写真パネルがマスクをしてエントランスで出迎えたり、常設展示室の太郎の等身大人形にもマスクをかけた。

⑶のコロナの時代に美術館はどうあるべきか。岡本太郎だったらこの時代をどう捉えたろうか。これが私どもにかけられた命題である。時代を切り開き、時代と対峙する。その象徴的作品が「明日の神話」である。そして「時代の鮮烈で鋭い証言」を望んで創設されたのが「岡本太郎現代芸術賞」である。今だからこそ、同賞の継続・第24回となる募集の実施を決断した。

これまでも個人美術館として独自の道を歩んできたが、今後も岡本太郎の意志を引き継ぐべく美術館のあり方の議論を継続中である。

世界一入りづらい美術館をめざす？

泉屋博古館分館長　野地耕一郎

いまこの国の空気はモヤモヤしている。

コロナによって相当数の死者も出ているのに、ウイルス自体の感染力は未だ弱いとされているから、医療専門家は危機を唱えるが、財政基盤がゆらぐことへの危機感に苛まれる政治家の判断はブレまくっている。

そうしたブレがモヤモヤとした空気を助長している。人が集まれば、感染は拡大する。人が集まることを前提に運営される美術館や美術展は、だから「いかに来館者を減らすか」というこれまで考えてもみなかった課題に取り組みざるをえない。来館者が見込めないとなると、文化交流という名のもとに借用を基本としてきた大規模展は今後しばらくは開催が困難になるのは必定だ。

ならば、何を我々はすべきか？　ひとつの答えは、コレクションと地域の美術に再び焦点を合わせることしかない、ということだ。自前のコレクションの見直しと深度をもった研究、そしてコレクションの増強だろう（とはいえ、収入が見込めない状況ではこれはかなり無理な話ではある）。それらを従来の方法論によらない企画展示に活用するしかない。「見せたいもの」「知ってほしいもの」を鮮度を上げて明示していくことだろう。

幸いにも、わが「泉屋博古館分館《せんおくはくこかんぶんかん》」は、名前の読みずらさもあって知名度が低く、これまで入館者数もボチボチ。だから、現在リニューアル休館中だが、世間の大勢に影響はない。この際、「世界一入りづらい美術館」を目指す道は整っている。でも、リオープン後は、一度足を踏み入れたなら、その人にとってホントの価値を掘り下げる鑑賞を提供する場になるはずである。

今は、美術館も鑑賞者も自身を再構築して「生まれ変わる」転機なのだと思う。

美術館の今・その今後

平塚市美術館副館長、武蔵野美術大学客員教授　土方明司

　まず、現況から。小生が勤務する平塚市美術館は、緊急事態宣言を受けて4月、5月と閉館。4月18日より開催予定であった、川瀬巴水展、柳原義達展は急遽中止となった。柳原展は作品集荷の直前、川瀬巴水展は既に展示を終え開催を待つばかりとなっていた。結局、川瀬展は日の目を見ることなく終了。来春開催の準備をしてきた、現代のリアル展（全国5美術館共同企画）は再来年開催となった。美術館は6月16日より開館。と言っても、しばらくはロビーに立体作品を展示し、来館者の動向をみることとした。近隣の美術館も企画展を中止し、まずは所蔵品展で様子をみるところが多かった。どの美術館もＩＣＯＭ（国際博物館会議）が定めた36項目の感染拡大予防のガイドラインを参考に、手探りの開館である。

　美術館閉館中は在宅勤務となった。オンライン上で紹介される展覧会、作品を見る機会が増えた。居ながらにして日本のみならず世界の美術館巡りができる。高精細の画像でみる作品は、細部のズームなど実物を目にする以上の解像度である。しかし、次第に鑑賞というより情報の処理に近くなり、疲れもし、飽きもした。実作品が持つ空気感や拡がりといった、目に見えぬ気配が伝わってこない。しかし、若年層はこのデジタル情報にリアルを感じ、バーチャルな空間に違和感なく接している。「未来と芸術展」（森美術館）で紹介された、ＡＩや先端テクノロジーを使ったまったく新しい作品が増えてくるのだろう。

　今後、美術館の運営はどうなるのだろうか。従来のようなブロックバスター型と呼ばれる、大量動員を目指した展覧会は不可能であろう。海外はもとより、国内での作品移動にも困難が生じる。日本の公立美術館は「特別展（企画展）」が常態化していた。また特別展を連発することで経営を成り立たせてきた。この厄災を機に、教育機関としての美術館の役割を根本的に見直す必要がある。その際、サポートツールとしてのオンラインの活用も必須であろう。

美術界の今――その行方――

識者の提言から大学教育の現場まで

（初出：新美術新聞２０２０年8月21日号6、7面）

日本美術展の将来について

美術史家、東京大学名誉教授　辻　惟雄

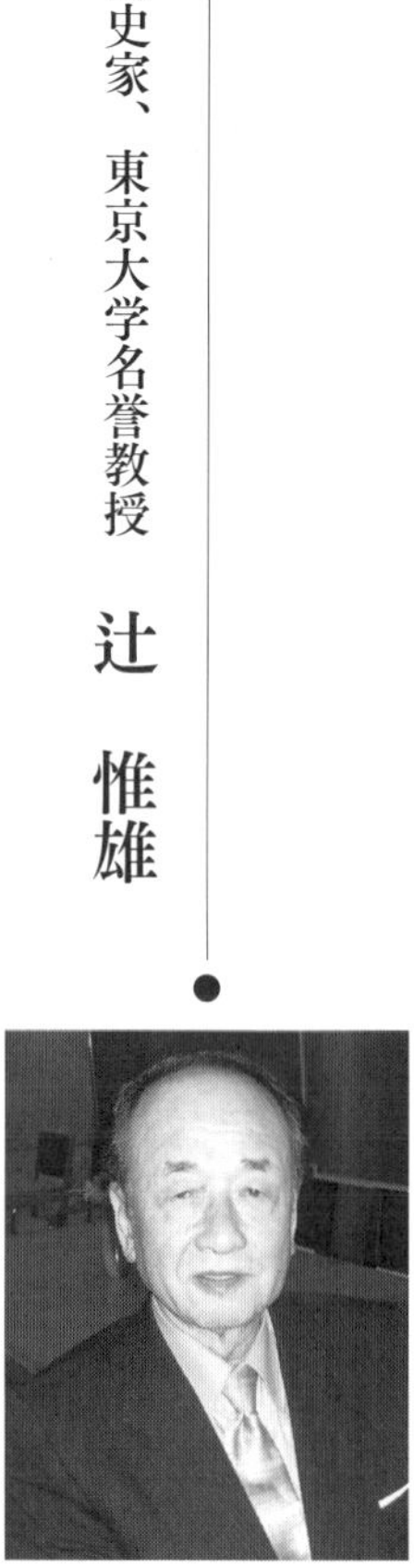

COVID-19という厄介者の侵入に、私の心も穏やかでありません。アーティストの皆さまとて同様でしょうが、それぞれに思いがけなく与えられた時間を活用し、自ら満足できる作品をつくってください。名作は今度のような極限の状況で生まれると、どなたかが本紙アンケートで仰ってました。

名作の誕生を期待しながら、ここでは、今まで私が多少関わってきた、日本美術の特別展の将来について、少し考えを述べさせていただきます。

＊

この春、満を持して東京はじめ各地で予定されていた大型の意欲的な展示は、期間の延期や縮小、さらには中止を余儀なくされました。企画を請負ったスポンサーの被害は、やむを得ぬとはいえ、少なくなかったでしょう。最近になって、東京をはじめとする大都市の展覧会が、入場者数の制限を条件として再開が許されましたが、予約の手続きの面倒さや、感染への恐れから、以前の盛況とはほど遠い現状です。

だがこのことは、大量宣伝により大量の観覧者を誘致する昨今の特別展覧会のありかたを見直す良い機会にもなりました。東京を例にとれば、数十万から最大100万を超えるお客様が集まれば、観客の対応に追われる学芸員は別として、宣伝や出品交渉に苦労した甲斐があったと、スポンサー側はえびす顔でした。

スポンサー、すなわち特別展の共催者は、宣伝力のある大手の新聞社が主です。新聞社がこれに関わるのは、最初の頃は会社の利益を社会に還元する文化事業としてでした。だが新聞の発行部数が減り始めると、展覧会が利潤を得る機会となり、赤字を出すのは企画の失敗という考えが定着します。当初の理念とは本末転倒となったのです。事情はどうあれ、入場待ちの時間や行列の長さを競うような展覧会は、決して褒められません。

ゆったりとした空間のなかで、落ち着いて作品と対面できる――これが展覧会に望まれる環境です。コロナとの共存が強いられる今、入場のためには音楽会と同じ切符の予約が必要となりました。コロナがいつか退散の後も、この制度は続いてほしいと思います。ただしこれは、特別展開催に限ってのことですが。

＊

とはいえ、課題はいろいろ残ります。ここ数十年来増え続いてきた美術愛好者の要望を満たすべく、話題を呼ぶ特別展のあれこれを、企画者側は考え続けねばなりません。過剰な宣伝を避けながら……。だが、江戸時代美術に例をとれば、琳派、浮世絵、若冲を始めとする奇想派など、人気ある画家の展覧会は、すでに出品依頼の度が過ぎて、今では貸し出しお断りが続出の状態、国立美術館さえ、琳派の代表作の顔揃えは、殆ど不可能の現状です。既存のスターだけに依存せず、新たなスターを見つけるのがこれからの課題であり、美術史家にはそれを果たす役が期待されます。現代の埋もれた作家の存在を世に知らせる努力も必要です。残念ながらコロナのため開催が1週間で終わった「神田日勝展」（東京ステーションギャラリー）など、その点注目される企画でした。

＊

西洋の美術品にくらべ、日本の美術品は、もともとフラジャイル（脆弱）にできています。展覧会のための、度重なる移動や作品の開け閉じは、保存上の深刻な問題を引き起こしかねません。

これを解決する方法として、レプリカの活用が必須の課題となります。レプリカの展覧会など見たくもない、とそっぽを向くのが現状だということは承知してますが、そうしたむきには、美術品の複製技術が意外な進歩を遂げた現状を知っていただく必要があります。大日本印刷やキャノン、便利堂その他、名だたる会社が互いに切磋琢磨した結果です。少し前、私はある寺院に伝わる重要文化財の水墨襖絵のレプリカを、実物の隣に置いて比べる機会がありましたが、その時、どちらが本物か、わかるのに少し手間取るという、思わぬ経験をしました。

モノクロームだけでなく。彩色画の分野でも、複製技術が着実に進歩しています。金銀箔を多用した装飾屏風のレプリカは、経年による汚れや変色をそのまま再現するのが課題ですが、それも大幅に改善されたようです。400年近く方丈を飾っていた大徳寺天球院の金碧障壁画が、最近レプリカに取り換えられ、本物は美術館の寄託となりましたが、専門の美術史家がそのレプリカの見事な出来映えに感心したと報告してくれました。今後さらに完璧なレプリカを目指すためには、文化庁の積極的な援助・監督のもと、アーティストやデザイナー、美術史家が協力して、改良を進める必要があります。これは無論、絵画だけでなく、染織などの工芸品、その他についてもいえることでしょう。

＊

海外での日本美術展は、日本の古美術品の脆弱な性質を考えると、今後ますます困難になると思います。日本文化の海外紹介は国策であるだけに何とかせねばなりませんが、まず困るのは、アメリカ人がマスク嫌いである以上にレプリカ嫌いだということです。アメリカがかってヨーロッパから文化の後進国扱いされていたころ、美術館にニセモノと粗悪なコピーが氾濫していた苦い体験が今も残っているのでしょうか。このトラウマを解決するには、まずは、日本の鑑賞者のレプリカの見方を180度転換させることが必要です。そのための一つの試みとして、ホンモノの隣にレプリカを並べ、鑑賞者の感想をうかがう展覧会など、いかがでしょうか。

名品を所蔵する寺院や個人には、レプリカ技術の発達によって自分のところの作品の価値が目減りすることを心配されるむきも居られますので、それへの対策も必要……などと老人のくどくどしい提言もこれくらいにしておきます。コロナとの長期戦に日本が団結し耐え凌ぐことを祈りつつ……。

コロナ禍における美術の今

名古屋市立大学名誉教授、名古屋造形大学客員教授　馬場駿吉

新型コロナウイルス感染症の流行は、本邦全体に一旦は抑制される傾向が見られた。だが、本稿執筆の7月下旬現在に至り、各地で再び増加傾向に転じ始めている。筆者の居住する愛知県（名古屋市）でもこの数日、新感染者数の上昇が目立ち、明らかに第2波襲来を思わせるものがあって油断ならない。そんな中でも美術館や街の画廊の多くは、取り決められた防疫の手順を踏んで開場し始めている。今のところ美術関係におけるクラスター発生の報告はなく、関係者一同少し安堵しているものの警戒体勢は緩めていない様子だ。

一方、作家たちはこのような状況にどんな対応をしておられるのだろうか――それを本紙連載のアンケート調査で拝読すると、展覧会などの発表機会の減少をやむなしとしつつも、粛々と制作は力を注ぎ続けておられる姿がうかがえたのは心強く感じられた。折も折、新聞にバンクシーの油彩画の連作3点がロンドンでオークションにかけられ、日本円にして3億円余で落札された――その収益が小児患者用としてベツレヘムの病院に寄付されることになったという記事。今の疾病流行との関係は不明なのだが、丁度、画家佐々木豊さんが「美術家として何が出来るか」という問いに「何も出来ない。バンクシーのようにメッセージ性のみを目的とする表現者ではないので」と回答しているのに符号して驚いた。このバンクシーについてのエピソードは次元の異なるもので、ここにふさわしいとは思えないのだが。

ここでふと思い浮んだのは、最近の新型コロナウイルス対策では、政治的に経済と感染抑止のバランスをどうとるかに集中していることだ。その経済問題に芸術文化面にかかわるところは、極めて希薄といわざるを得ないように思う。アンケートの結果には、作家たちが不安に感じているはずの経済問題があまりあらわになっていないが、気がかりなところだ。愛知県は美術館への新進作家作品購入費の増額を打ち出したが、そうした配慮こそが今必要ではないだろうか。

コロナ禍と大学改革

多摩美術大学学長、埼玉県立近代美術館館長　建畠　晢

コロナ禍は大学にとって、とりわけ実技教育を中心とする芸術系の大学にとってきわめてシリアスな事態である。多摩美術大学では急遽、オンライン授業対策チームを立ち上げて、すべての授業をオンライン、オンデマンドに切り替え、またあまたある会議もＺＯＯＭなどに移行させることになった。留学生対策チーム（百人以上の学生が入国できずにいる）、プロジェクト・フォー・ニューノーマル（いわゆる三密対策のチーム）を含めた三つのタスク・フォースの文字通り獅子奮迅の働きで、何とか当面の危機を乗り越えつつある。経済的な困窮学生の支援には、本学の経費と国からの助成に加えて同窓会からの多額の寄付を受けたこともうれしい話であった。

しかし第2波、第3波の到来も予想されており、三密対策は長期間に及ばざるをえまい。これからの課題は状況を見ながら慎重にアトリエの開放を進めるとともに、オンライン授業のプラス面は恒常的なシステムとして取り込むことなどにあろう。

だが、考え方次第では今回の危機は、より広い視野での大学改革を進めるための好機ともなりうるように思う。期せずして本学では上野毛キャンパスの改築に伴う全面的な再編成の構想が持ち上がっており、それに伴って八王子のメーン・キャンパスの見直しをしなければならない時期でもある。頻繁に開催することが可能なＺＯＯＭ会議は、集中的にその議論を進めるのに好都合であり、またオンライン授業の実施は各学科、各キャンパスの垣根を越えた視点でカリキュラムを改変し、図書館、美術館、研究所などの連携を促進するという意味でも有益な経験となるに違いない。

「災い転じて福をなす」という言葉があるが、これは単に幸不幸は入れ替わるという受け身の姿勢ではなく、強い意志を持って逆境を乗り越えることで、その先の道が開かれるということであろう。ともあれ、まずは学生と教職員の健康維持が第一であり、一喜一憂することなく堅実かつ柔軟に状況に対応しなければなるまい。いかなる場合にも大学は決して休眠することなく、本来の志を貫いて行く。未曽有の危機を前にして、その決意を新たにしているところである。

創造への意思――「逆境」に挑んできた工芸作家たち

工芸評論家、多摩美術大学教授　外舘和子

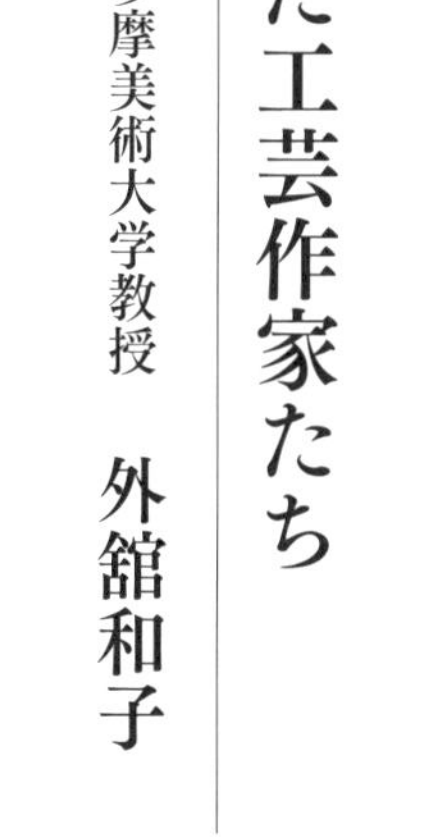

このコロナ禍は、ひたすら抑制を強いられるもどかしい状況である。特に芸術が未だ「余剰」の産物のように見られがちなこの国では、疫病が恰も美術や工芸を呑み込んでしまうかのような不安にかられる。しかし歴史を振り返れば、工芸は度々の逆境において、その都度問題を克服することで発展してきたのではなかったか。

例えば江戸時代に分業製作を発達させた糊防染《のりぼうせん》の模様染め「友禅」の着物の世界なら、太平洋戦争の頃、多くの職人たちが疎開、離散し、分業生産は危機的な状況となった。しかし職人不足となったその時、染織の図案家たちは、自ら筒糊を手にし、色を挿し、一貫制作の着物に挑んでいった。結果、商業的な友禅は減ったが、個人作家の創意の表現としての友禅が本格的に誕生している。

さらにこのコロナ禍で日本橋三越催事場における第60回記念東日本伝統工芸展が開催中止に追い込まれた。しかし、日本工芸会東日本支部の作家たちは、規模を大幅に縮小して延期開催とする一方、三越と交渉し、従来百貨店では呉服売り場で扱われていた「着物」を、初めて美術画廊で他の工芸作品と一緒に展示することを実現し「染織芸術としての着物」の存在を主張した。それもまた老舗百貨店の美術画廊100年の歴史に新たな1頁を刻む小さな「革命」といってよいだろう。

一方、陶芸の世界で自由造形的なオブジェが誕生したのも、終戦から僅か3年後の1948年のことであった。まだ衣食にも事欠く時代に、陶芸家たちは創造への意欲を噴出させ、決して販売とは直結しない、用途を離れたバイオモルフィックな造形を発表している。また実用陶磁器の世界では、近年、環境問題がグローバル化する中、リサイクル陶土を用いたデザイン性の高い実用の陶磁器が作られ始めている。

振り返って気づくのは、作り手たちが経済とは別次元の所で闘ってきたということである。問題の克服へと彼らを駆り立ててきたのは、何よりも創造への意思であり、表現欲求であった。芸術への社会的、経済的支援などは勿論重要だが、逆境で問われるのは何よりもまず作家たちの創造への強い意思である。芸術の根幹は間違いなくそこにあるだろう。

通信添削による授業に徹する
——「郵便による通信」授業——

書家、日展会員、臨池会理事長、大東文化大学文学部書道学科教授　高木厚人

この3月以後、新型コロナウイルス感染拡大の為、あれよあれよという間にゼミ4年生の追コン、卒業式、謝恩会が中止に追い込まれ、卒業証書はレターパックで送るという事態になってしまった。かろうじて学生・院生、4年、6年間の集大成である卒業・修了書作展が東京都美術館で開催できたことは救いだった。

新入生も困惑を極めている。4月初旬の入学式は中止、例年式後に行われるガイダンス、教員との対面式も無く、新入生は大学のＨＰから入ったネット上で学長からのメッセージを受け取り、ガイドに従って諸手続、履修登録を行うことになった。

前期は連休明けから（２０１１年の東日本大震災の時と同じ）、新入生の授業は5月末より始まることになったが全てオンラインによる授業。大学はオンライン授業の環境を整えるための特別支援金一律５万円を学生に用意した。オンライン授業と一口に言っても慣れていない教員が多く、まずパソコンの使い方に手間取った。対面での授業に比べ多くの資料を用意せねばならず教員の負担も計り知れないものとなった。書道学科の実技科目ではｍａｎａｂａ（註：学生と教職員を結ぶクラウド型の教育支援サービス）を通して課題を出し、レポートを回収、ある時は画面上の作品に批評等をすることで授業を進めていく教員が多かった。

その中で私は旧式の通信添削による授業に徹することにした。学科の新入生60名、他学科の新入生30名、さらに上級生、院生計１２０名に2週間に1回作品提出を求め添削後返却をくり返すことにした。切手を貼った提出用の封筒を用意、学生は課題を書いた後、同封の封筒に作品を入れポストに投函するだけ。課題は拡大した古典を配布、ひたすら写し、ひたすら真似て書く「とにかく慣れよ」スタイルで進めた。

始めてみると思いもかけぬ反応があった。返ってきた

封の2割が表シール「高木厚人」のまま。裏に差出人の名前のないものも2割あった。まずは封書の書き方の指導から始めることにした。2度目の提出時には「書き方の不備申し訳ありませんでした」等、詫びるメモが何枚も入ってきた。「封書を書いたことがなかった」という学生もいた。そして添削をくり返しているうちに同封してくる一言メモが楽しみになった。関東在住者の他、秋田、新潟、静岡、兵庫、佐賀、熊本、鹿児島等、それぞれ実家にいる学生からの作品、コメントで学生一人ひとりのイメージが膨らんでくるのだった。まだ1度も会ったことのない学生達である。従来の対面授業では味わったことのない学生達とのつながりだった。

昨日大学院の研究生からの作品が届いた。中国から来日している彼はアルバイトしていた会社に就職することになり大学を辞めるという報告だった。その中に「20年前から携帯、パソコンで通信していたので、中国では紙媒体による通信は全く経験がなく、今回の封筒でのやりとりがとても新鮮だった」と書かれた一節があった。「半月毎に送られてくる添削した手紙はネット授業より『触れられる真実』という感じでよい体験だった」とも記されていた。

後期の授業はどういう形で行うか、まだ決まっていないが従来の形は無理と言われている。私としては「郵便による通信」授業も悪くない、学生達にプラスになることもあるだろうと信じ、もう少し続けていこうと思っている。

新型コロナウイルス影響下での大学教育〜芸術表現について〜

日本画家、名古屋造形大学准教授　濱田樹里

２０１９年度末、美術館での卒業制作展開催中にコロナが日本国内でも問題になりはじめ様々な日常生活さらに芸術活動にも影響を及ぼすことになり、２０２０年度新学期から大学ではオンライン授業開始に伴い、教員は学生とパソコン画面を通じて授業を行うこととなった。そのことは、美術分野での実在作品はオンラインでは伝えきれない人間の持つ深いところにある五感を伴う感覚・感性で表現されていることを改めて考えさせられる日々の始まりでもあった。

パソコンを通じて見えるものからは、身体に伝わる情報の範囲が限られていた。私は日本画が専門分野だが、和紙の表裏、水分の含ませ方、礬砂《どうさ》の効き具合等々、実際に手に取って伝えることの多くは、触れることで自分たちが感じ取ってきたものであり人間が持つ特別な感覚であることを改めて考えさせられた。

それは、南国インドネシアで生まれ育った私にとっては日本の風土の中で伝えられてきた絵画技法に魅せられた当時の記憶を振り返ることと繋がったのである。素材に対する細やかな心配り、そして素材への見極め、技法に対しての崇高な価値観、繊細な感覚等に帰国した当時の私は大変驚かされたことを思い出させてくれたのだ。

この四季を感じる風土の中で見える繊細な和紙の表情、墨や顔料の動き、発色、筆跡、そして画面に留まっていく作家の表現の痕跡は対面することでしか感じ取る事ができない真に迫る事実を見つめることだと日々実感しつつ、オンライン指導の難しさを感じている。

今後も実在作品とデジタル表現を用いて作品制作を行うことは、近づくようで近づけない部分が有りながらも人間の芸術表現を追求する行為と共存していくのであろうと思う。そして新型コロナウイルスの影響下で人と人がどのように関り、人生を豊かにしていく道を切り開くか、芸術表現の将来を見つけるべく活動していきたいと願う。

画商・百貨店の今――激動の時代――

渾沌のコロナ禍の分水嶺で

【質問項目】
①コロナ禍で受けた業務への影響
②感染拡大防止への取り組みについて
③マーケットの動向について
④今後の各社或いは業界全体の展望

（初出：新美術新聞２０２０年８月21日号５面）

靖雅堂 夏目美術店

代表取締役　夏目　進

いいものがあれば売れる、それは変わらない

①　5・6月と、2カ月間まるまる休みました。感染拡大に伴って3月頃から予定していた個展も軒並み中止、こちらから伺うわけにもいかず外商もストップ、とにかく動けない。作家さんとは連絡をとっていて不安の声も聞かれましたが、先の展覧会に関しては会場の百貨店次第で、延期した展覧会もこの先どうなるかわかりません。作品も描いてもらっていたのですが……全く予定が立たず困りました。

現在は営業を再開し、百貨店での展覧会、外商も再開しています。休業中、従業員も皆うずうずしていたようで、やる気をもって業務に当たっています。また、当社主催の交換会（画商間の競り市）も、待望の声は少なくありませんでしたから、やっと再開でき、ほっとしています。しかし、まさか人生のなかでこんなことが起こるとは、思いもしませんでしたね。

②　店舗については入口を絞り、入店時のマスクの着用とアルコール消毒、検温も実施しています。定例の交換会は、4・5月は中止し、現在は会場の東京美術倶楽部ガイドラインに沿って人数を制限して行っていますので、お呼び出来ないお客様も出てしまい、申し訳なく思っています。競りの際にはマスクやフェイスガードを着用しています。

③　こういう時勢だから、お客様から売物が出て来ませんね。作品不足です。作品が動かないことには市場も動きません。しかし、いいものが出ればやはり高く売れます。それは昔からずっと変わらない。先日も松園の作品にいい値がついていましたよ。

お客様はそれぞれですが、そんな中でも物故作家の作品は根強いものがありますね。現存の作家の人たちも頑張っていますよ。

④　作品次第でしょう。いいものがあれば売れる、それは今も、これからも変わらない。ただ、いい作品はなかなか出て来ませんね。とにかく作品がなければ商売になりません。

今後、ワクチンができるまで現下の体制はしばらく変わらないでしょう。今はただその時がくるのを待つのみです。

日動画廊

代表取締役社長　長谷川徳七

① 3月に開催した昭和会展では、感染拡大防止の観点からレセプションを中止し表彰式のみとしました。緊急事態宣言後は、本店含め国内外の支店などを休業。営業を再開してからも街の人出は大幅に減っているので、客足は戻っていません。絵画を購入されるお客様は年代的に感染が命にかかわることもある為、本人が外出を希望してもご家族から止められることが多いようです。一方でやはり現物を見て購入したいコレクターも多く、感染予防対策をして来店される方もいらっしゃいます。

② 店舗ではスタッフを入口に配備し、受付で手の消毒・検温の実施、マスクの着用をお願いするという対応をしています。地下のフロアも空気清浄機2台を設置しており、換気にも配慮をしています。

③ 世界に目を向けると、パリ支店は即時休業になりましたが、1カ月後にはフランス政府より社員に給与の60%が振り込まれ助かりました。また、ロックダウン中に展覧会を開催する予定だった作家には、政府が何点か作品を買い上げるという手厚い対応もあり、芸術に対する考え方が根本的に日本とは違います。国内の状況は、絵画市場が安定していないので、質の高い作品の出品が少なくなっています。富裕層の方々は、良いものがあれば購入したいという心理もあるので、美術業界の活性化のためにも質の良い作品の出品を願っています。

画商も作家も、マンネリに陥っては淘汰される

④ 業界としては低調かもしれませんが、5月末より開催した太陽展では多くの売約をいただきました。面白い新人作家には完売するものもありますし、新たな試みに挑戦している作品は売れるのだと実感しています。我々画商もですが、作家も現状に満足しマンネリに陥っては淘汰されるでしょう。画廊もインターネットの活用など、新たな販売の方法を模索していく必要があります。どちらにとっても転換期なのかもしれません。現状、私どもの画廊で絵画を購入されるお客様は70代が多いです。次の世代のお客様を育てていかないといけません。これから10年が勝負のように思います。

関西画廊

代表取締役　溝尻真人

①　コロナ禍による自粛要請後は百貨店催事等の企画は中止・延期となり、大幅に予定が狂いました。感染拡大から5カ月近くになりますが、今なお展覧会会場には来客も少なく、全てにおいて厳しい状況に置かれています。ホテル等の店外催事もこの騒ぎで中止が相次ぎ、今後の予定が全く見通せないのが現状です。大阪は緊急事態宣言の間、他と比較してもかなりの自粛を行ってきました。しかし現在は街にも人が戻り、東京に次ぐ感染者を数えることは事実に違いありません。依然予断を許さない状況下にあります。

②　現在は時短営業を実施しており、画廊ではアルコール消毒やマスク着用を徹底しています。店舗を構える堂島はビジネス街ですが、緊急事態宣言下も少なからずお客様がご来店されました。しかしコロナ禍のため滞在時間は以前に比べて短いものでした。

③　やはりこの時期、高額商品の売れ行きは厳しい状況にあります。一方、時短営業の最中に来店されるお客様は、必ずと言っていいほど若手作家をご購入されました。これはあくまで推測ですが、特別定額給付金10万円の使い道として美術品購入を選ばれたのではないでしょうか。ステイホームが推奨され家で過ごすことが多くなり、くつろぎながら絵画を鑑賞する等、家時間を楽しむ方が増えたことも一因と思われます。これまで以上に新規顧客が増え、数多くの作品をご購入いただきました。

業界全体として限界を感じていた部分が顕わに

④　これまで店頭に足を運んで買い物を楽しんでいたお客様も、今後はネットショッピング等在宅での買い物がますます増えることでしょう。インターネットの活用、オンラインでのご紹介が増えていくことは間違いありません。弊社もオンライン化に注力していくと共に、これまで以上に個展やグループ展も行ってまいります。もちろん、百貨店での催事も今まで同様に企画を続けていくことでしょう。しかし、今後の景気の見通しもつかない状況ですし、コロナによって限界を感じていた部分も顕わとなり業界全体が変わっていくことが懸念されますので、今後の美術運営の新しい方向を探っていきたいと思います。

名古屋画廊

代表取締役　中山真一

美術業界も、コロナ後は本物しか生き残れない

①　コロナ禍で美術市場におけるバブル崩壊後の長期低落状況が、リーマン・ショックや大震災時にもまして、ある種の無常感を伴いつついっそう加速しそうに感じます。しかも、流行りや純ビジネスに安易に傾倒してしまいがちという美術業界の問題点が、すっかり「見える化」されてしまいました。

②　コロナ禍を奇貨として、今後は開廊時間を1時間（土曜日は3時間）短縮することにしました。仕事をなんにつけ凝縮化する方向です。

③　美術品の国際市況はまだあまり影響がないようです。国内でさえ、7月の「某氏旧蔵オークション」での黒田清輝のハンマープライス1億4000万円をはじめ、名品であればこうした時期でも本来の価値を示すことが明らかとなりました。現役作家でも例えば笠井誠一先生の作品はバブル期と同価格でまったく変わらず人気があります。こうした現実に照準を合わせて、すなわち価格帯なりに、好不況にあまり左右されないような作家・作品にしぼって扱っていくしかないと思っています。

④　世の中全般、美術業界ならなおさら、コロナ後は本物しか生き残れないでしょう。私たちプライマリーギャラリーとしては、外にむかっては美術文化の優位性を訴え、内にむけては画廊の存在理由を今一度、捉え直す時だと思っています。つまり私たち美術商は、よりいっそう真剣に顧客と向き合い、より真っ当な作品をおすすめするという基本姿勢がいよいよ問われることとなります。その意味で今は美術業界改革のラストチャンスとなるでしょう。

私どもには、この2、3年内に関東方面でささやかな美術館を設立するという事業計画があります。前向きな強い気持ちで、なおかつ慎重さを失わず事業に当たらねばと気を引きしめているところです。また、いま社員共々時間ができてしまったので、地方画廊として移動美術展など私ども独自の活動歴を顧みて今後の糧とすべく、三種の記録集を4月から編集中です。

株式会社

髙島屋

美術部担当部長 金子浩一

現下の情勢であっても見たい、買いたいと思わせる企画を

① 美術品の商売というものがいかに〝密〟と関係しているか、つくづく感じました。業務では、一番苦労したのが展覧会スケジュールの調整です。営業自粛を行った際に開催中だった展覧会では、週末2日の休業は大きな痛手となり、お客様にも作家さんにもご迷惑をおかけしました。緊急事態宣言発令後は、解除の見通しがつかなかったこともあり、日本橋本店では5月末までの予定を全て中止・延期としました。6月3日からは全店舗で営業を再開し、現在は客足も戻りつつあります。下半期は概ね当初のスケジュール通り開催予定ですが、来年以降に延期分の影響が及ぶかと思われます。

② 政府からの「不要不急の外出自粛要請」を受け、3月末には他の百貨店に先駆けて本店含む一部店舗で週末の営業自粛を実施いたしました。緊急事態宣言発令後は対象地域の店舗を臨時休業とし、その間も営業していた食料品フロアへ応援に入る画廊スタッフの姿もありました。

現在は入店時のマスク着用と消毒の徹底、エレベーターの人数制限とエスカレーター利用の推奨、また画廊では各会場の入口に消毒液を設置し、芳名帳はサインペンを随時消毒してご使用いただいております。ストップしていた外商も再開しましたが、お客様のご年齢やご要望を十分に考慮しながら行っております。

③ 美術品の手応えとしては、やはり厳しいことは厳しいです。しかし、人気作家はこれまでに近い売り上げがありますし、営業再開後目標を上回った展覧会もありました。こういうときだからこそ作家を応援しなければ、と購入される方もいらっしゃるのではないでしょうか。コロナ禍直前に売れた作品も、キャンセルはほとんどありませんでした。

④ 当社も戦後史上最悪の経営難に陥っております。今後

は各百貨店共に運営のドラスティックな効率化と方向性の軸足のシフト、場合によっては組織の縮小なども行われることになるかもしれません。そういった問題は、少なからず作家さんや取引先の画廊さん、メディアの皆様にも影響が出てくるかと思われます。

そのなかで、これまで以上に企画をブラッシュアップしていかなければなりません。現下の情勢であっても見たい、買いたいと思わせる企画を立てていきたいですね。また、今回のことでオンライン事業の重要性を痛感し、そのための環境整備や設備投資にも注力していく必要があります。個人経営のギャラリーとは異なり、企業としての導入となると我々現場の希望通りにならない部分も生じますし、在庫の観点などからオリジナリティを出すのも難しい。リスクの大きさも無視できません。しかし、それらをいかにクリアしお客様にとって理想的なプラットフォームをつくっていくかも、今後の大きな課題の一つです。

美術業界の今――広がる波紋――

美術展を支える人々のリアル

【質問項目】
・新型コロナウイルス感染症がもたらした影響
・感染防止のため取り組でいる、または取り組もうとしていること
・今後の美術界を見据えて（今後の予定など）

（初出：新美術新聞２０２０年11月21日号６面）

株式会社　谷中田美術

代表取締役社長　谷中田國弘

弊社は美術団体等を顧客とする美術品運送梱包及び展覧会展示業務等を行っていますが、今回のコロナウイルスにより4月から国立新美術館及び東京都美術館で開催される予定だった弊社取扱いの公募展覧会が全て中止になりました。東京本展開催中止に伴い各地方巡回展も全て中止になりました。9月末日現在も年内の東京で開催する公募展覧会は一部を除いて全て中止となっています。必然的に売上は激減して非常に厳しい状況です。今回の想定外の事態に、あらためて美術館閉鎖が及ぼす影響は関係業者にとっては致命的と感じました。

各給付金や補助金等の申請、公的金融機関融資などを申請しました。また公募美術団体以外の顧客(美術大学・公共施設・自治体・企業)などの多少動きがあった美術品運搬・展示設営などに業務割合をシフトチェンジしました。

今後しばらくはwithコロナ、新しい生活様式となり、人々が足を運んで美術鑑賞するかは非常に不安です。完全復帰するには数年かかると思っています。それまでに観覧者が安心して鑑賞出来るシステムや制度を主催者のみではなく美術関係者等、全てが協力して構築しなければならないと感じています。

株式会社　東美

江﨑（高田）由美子

私共は画材額縁の販売と作品の搬入出展示という二本柱で仕事を請負っております。創業者の江﨑俊夫は、世界に類をみない大作を描く公募団体展と画材美術業界への感謝をいつも口にしています。

これまで景気に左右されずきましたが、ここ数年は高齢化に伴う厳しい一面もありました。顔面蒼白の2020年3月。次々に公募展が中止されていく中、自嘲気味に今年は桜がみられると思いながらも失意のどん底のような気分に…。そんな中、なんとか踏ん張らねばと自身を奮い立たせてくれた話が2つあります。

数年前の日展会場での出来事。観覧客の男性が会場内を「あの人の絵がない」とドタバタ探し回っていました。男性は作家名こそ覚えてはいませんでしたが、毎年楽しみにその作者の絵を見にきていたそうです。病のため休会中であった先生の作品であることがわかり、絵描き冥利に尽きると思い、嬉しくも哀しくも感じました。

銀座の画廊オーナーの話。コロナ禍で自粛を余儀なくされる展覧会において、御大の画家がそれでも開いている画廊に足繁く通い「芸術の灯りを消さないで頑張って下さい」と激励して回っていたといいます。これには頭が下がります。季節感のないまま秋を迎えました。例年のこの時期は仕事に忙殺され鬼の形相で仕事をしていました。営々と築いてこられた公募団体展と絵描きの皆様に感謝しつつ、借りられるものは借りて、貰えるものは全て貰って、負けずに頑張ります。明けない夜はない。

株式会社 湯山春峰堂

代表取締役社長 湯山富士雄

コロナ禍が始まり、展覧会が相次いで中止となったことによって仕事と収入がなくなり、社員への給料の支払いの心配、取引業者への支払いの心配、社員の通勤による感染の不安、お客様の来店途中の感染の不安、これらの心配と不安が我々の業界にももたらされた。

特に展覧会の中止による経済不安、先生方のお稽古の中止によるお弟子さんの減少、それに伴う書道人口の縮小が心配である。

政府の長期低金利の貸付金で最小の経済的打撃をなんとかやりくりしているが、それはあくまで借り入れているだけなので近年中に返金せねばならない。しかしまだ未決である。社員の通勤途中の感染不安は、幸い工房が郊外にあるので通勤混雑による感染は避けられたが、それでも心配なので、自動車や自転車通勤にし、社員の感染を避け、工房の生産を必要最低限にとどめた。個人の

お客様の表装の依頼は90％も激減し、依頼いただく時は作品をお送りいただき、電話で詳細について打ち合わせをした。

今後コロナ禍終息後の我々表装業者も含めた書道界だが、１９８２（昭和57）年頃から書道人口は頭打ちとなり徐々に減少しているのが、このコロナ禍により加速することが心配である。

株式会社 栄豊齋

代表取締役 佐野豊進

ウイルス蔓延前の書道業界は、少子高齢化の波を大きく被っており、そこに今回の感染症が発生しました。どの業界も同様だと思いますが来店するお客様の7割強は60代以上の方々です。発生当初から3カ月くらいは本人が買い物をしたくとも、家人が心配して外出ができない状態が続きました。必然的に売り上げは落ち、已む無く休業、7月より時短営業を始めました。

販売面ではネットショップの比重を高め内容を充実させることに努め、より一層他社との差別化を図り、弊店の得意とする分野での販売力の拡充を図りました。また2階では3フロアで書道教室を行っておりますので各部屋に、消毒液2本、非接触型体温計1台、１５０センチ幅の長椅子に生徒一人、というような対策をしております。また、ネットで先生方のお手本、作品等のきめ細やかな紹介をしていき、入会すると実際の筆遣いなどが生で体験できる良さなどを伝えていきたいと思います。

今のような時期を逃さず、作家と業界が縦横の繋がりを強化して国民に日本文化のすばらしさをまず理解してもらい、自信をもってもらいたい。また、海外に向けても発信していきます。業界として日本文化に携わっている事に自信と誇りをもっていきたい。現在展覧会の開催はまだまだ多くの問題を含んでおりますが、まずはネットでの情報を充実させ、発信していくことからだと思います。ネットで多くの人に情報を公開し、会場に足を運んでもらい、実物から受ける違いを肌で感じてもらい、本物の持つ良さや体に感じる感覚を味わってもらいたいと思います。

ゴールデン文具株式会社

代表取締役会長 平出揚治

当社は書道の普及・発展を目指している会社です。書道界は高齢化が進んでおり、コロナウイルスの心配で外出を控え、来店が減少し売上が大幅に落ち込んでいます。店頭では非接触型体温計、足踏アルコール消毒と透明ビニールをレジ前に設置し、列を2メートル感覚にして頂くよう立ち位置の目印を床に貼っています。書道専門の展示スペースゴールデンギャラリーとギャラリー守玄齋も展覧会の中止が続いていましたが、やっと10~11月頃より再開しています。

当社の主宰する守玄齋書道教室も20名の講師の講座が3カ月（3月~5月）程休講しましたが、6月頃より開講しています。ギャラリーも書道教室も非接触型体温計やアルコール消毒ボトルを設置し、定員を半分にしています。

当社主催の神奈川県代表書家展では、ギャラリートークや懇親会は中止し、令和3年2月に会期を11日間に延長して開催予定です。

書道展や美術展はよほどの事でない限り密は避けられると考えています（場合によっては大幅でない入場制限を）。最後に芸術・文化活動への国の助成金の拡充を期待したいと思います。

東洋額装株式会社

代表取締役社長 小林英樹

弊社の仕事の大半が書道展や水墨画展の表具です。新型コロナウイルスによって3月以降の展覧会がほぼなくなり、6・7月の一番の繁忙期に例年の2割以下の売上になりました。仕事がないため週休4日体制を5月まで行い、6月から週休3日にし、各自の仕事の幅を広げる時間を作りました。またお客様へは訪問を基本的に控え、電話やメール、LINEなどで現状把握を

してきました。そういった中で展覧会の代替えが出来ないかＷＥＢでの展覧会の提案をしてきました。これは今後改善していきながら新しい発表の場を構築していくつもりです。また、裂地屋さんのマスクや飛沫防止アクリルの販売などをしていくことで、本業の表具以外でお客様のお役に立てることを模索していきました。

今後のことを考えると、今まで通りになるとは考えられません。特に地方在住の方が都心へ出る機会は減ると思われます。よってＷＥＢをいかに活用するかが求められると思います。指導の方法、鑑賞の方法など変わっていく世の中になるのでそのサポート役として出来ることを考えていきたいと思っています。

株式会社 クサカベ

代表取締役社長 齋藤正彦

緊急事態宣言中の当社の対応は、休業こそしないものの、他社同様に出社人数の制限、時差や車での通勤、出荷業務や電話対応の時短、営業活動の移動制限、工場見学の中止等を余儀なくされました。宣言明け後の現在でも、工場見学や講習会の新たなガイドラインを作成し、来場者受け入れの縮小や手間の増えた対応に追われています。

感染予防策として社員には社内外でのマスク着用と手の消毒を徹底させ、勤務中は絶対に顔周辺を触らないことを順守しています。また、来客へは手の消毒と検温のご協力を、工場見学時には靴底の消毒やインストラクターのフェイスシールド着用なども行い、注意喚起をしています。

各地域での画材見本市等イベントが軒並み中止となっていますので、今まで以上に、ＳＮＳや動画配信など、非接触型の商品紹介や販売方法などが求められます。新製品や技法の紹介、或いは作品の発表方法など、対面以外のＰＣやモバイル使用も重要な選択肢になるなど、販促活動が大きな転換期にあるように感じます。

特別企画

漢字一文字
五百曼陀羅

私たちがかつてない経験に見舞われた２０２０年。新型コロナウイルスは、世界中の人々に数多の苦難をもたらしています。弊社では、美術家を中心に、手書きの漢字一文字を募集しました。数百の文字が曼陀羅のごとく誌面を飾ることで、この困難を乗り切る力を分かち合えればと願いました。一文字一文字に、書き手の願いが込められています。肉筆ならではの魅力をご堪能ください。

渥美　忍［忍］

浅井　宏［学］

青木松心［観］

阿部朱昂［神］

浅野翠浦［翠］

青木聴雪［覚］

新井光風［命］

浅野輝一［麻］

青西千賀子

荒木一男［幸］

浅原清作［祈］

赤平泰処［願］

荒木大樹［蘇］

旭谷朗抱［悠］

秋元由美子［徳］

荒木光子［人］

阿相三郎［佇］

秋山青桃［臨］

［漢字一文字五百曼陀羅　凡例］

●掲載は氏名の五十音順。全５１４名掲載。

●「一文字」のページの後、120頁から135頁にかけて、索引と各文字へのコメントを掲載した。コメントは主に、２０２０年９月頃に書かれている。

石原つるえ［一］

井茂圭洞［徹］

石川貴啓［紫］

飯田春香［梅］

有泉　學［忍］

井尻鈴扇［瞬］

石田春窓［祈］

池田桂鳳［浄］

飯髙和子［廻］

有賀美智子［聴］

磯谷凄聴［望］

石飛博光［丑］

池村光琳［道］

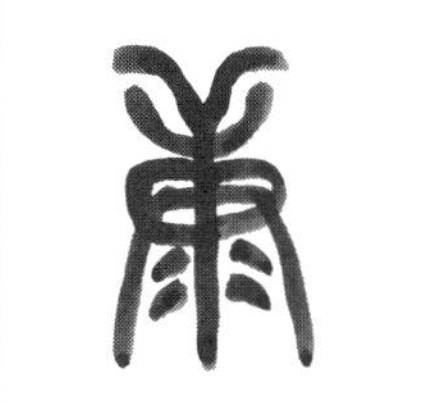
井垣清明［康］

有賀敬子［念］

磯島志津子［志］

石橋應和［意］

石井瓔子［穏］

井口如俊［醸］

安藤豊邨［縁］

磯部童舟［真］

石橋鯉城［花］

石浦啓二郎［誠］

池川　直［康］

飯島敏子［紡］

磯本明扇［明］

石原太流［新］

石川善一［勝］

池口史子［想］

飯田桂子［永］

岩田明倫［主］

入江　観［愛］

井本江里［末］

稲垣佐千代［翔］

板垣千鶴子［願］

上杉華澄［象］

岩浅写心［和］

今井香南［疇］

犬伏萩水［聴］

市川将義［密］

植野史煌［祈］

岩壁聖濤［仁］

今井政之［煌］

井上杏苑［雉］

市澤静山［粛］

上松桂扇［獨］

岩城大介［念］

今口鷺外［浄］

井上山遙［愛］

一色白泉［念］

上村泰水［香］

岩崎竹渓［盛］

今村北州［彩］

井上初江［祈］

伊藤志織［明］

牛窪梧十［城］

岩田佳香［造］

入江一子［絵］

井上裕幸［防］

伊藤和青［逢］

大矢　紀［忍］

大成　浩［風］

大田耕造［祈］

大石三世子［彩］

薄田東仙［共］

岡　信孝［観］

大沼曙美［曙］

大鷹想雲［心］

大河内暁水［暁］

内田何艸［醒］

小笠原寛友［友］

大野詠舟［无］

大高孝雄［孝］

大島博香［人］

宇野　游［黎］

岡田契雪［微］

大樋年雄［天］

大竹章三［風］

大須賀　選［天］

遠藤彰子［密］

岡村恵窓［和］

大村　智［夢］

大津英敏［彩］

太田海軒［情］

遠藤心齋［念］

岡本春映［紗］

大森　括［明］

大波天久［輝］

太田光信［動］

青海　光［變］

加藤矢舟［圓］

垣内カツアキ［真］

尾崎　譽［力］

奥谷太一［共］

小川艸岑［馬］

加藤邦元［命］

柿下木冠［水］

尾崎邑鵬［淑］

奥谷　博［心］

小木曽　誠［気］

加藤由利子［祈］

笠井誠一［元］

小沢眞弓［天］

奥藤春葉［州］

沖野アミ［想］

金井清子［清］

鹿島正子［誠］

小野平吉［生］

奥山幸子［夢］

荻野三男［勝］

金井千桂［華］

梶山盛涛［甦］

小野寛子［待］

尾﨑紫惺［縁］

奥　宣憲［智］

金丸鬼山［堪］

片芝青邦［眞］

尾上みち子［動］

尾崎司邑［遙］

奥田小由女［愛］

日下淑泉［淑］

杵築青坡［乱］

北岡瑞桐［禪］

川畑ホール眞美子［眞］

鎌田悠紀子［防］

工藤和男［豊］

鬼頭恭子［彩］

北川佳邑［温］

菊島右雪［洗］

上條陽子［炎］

くぬぎとみ［堪］

鬼頭翔雲［健］

北川順一［忍］

菊池治子［死］

亀川清苑［苑］

久野和洋［地］

絹谷幸二［想］

北口松星［光］

菊地華舟［明］

川井明美［光］

久保田花鵬［成］

木村澄春［蓬］

北畑芳草［舞］

菊池昌春［和］

河合福三［必］

久保田ひろみ［史］

杭迫柏樹［誓］

北室南苑［芸］

岸本篤子［直］

河野宗之蒸［光］

近藤浩乎［愛］

小灘一紀［霊］

小島右俊［空］

幸田蒼石［蒼］

熊谷直臣［窓］

斎藤乾一［樅］

小浜大明［摑］

小杉小二郎［悠］

神津武士［水］

黒川昇陽［永］

齋藤香坡［舞］

小林琴水［麗］

小杉修史［恕］

鴻巣祥英［祥］

黒田賢一［進］

齊藤瑞仙［忍］

小林修一郎［今］

児玉一郎［鳥］

木暮照子［空］

黒田忠公［風］

齋藤青鳥［游］

小林六博［祈］

五反田直美［望］

小島瑞柳［豊］

黒田周暉［樹］

サイトウ良［瞑］

小原道城［喝］

小鶴幸一［危］

小島万里子［翠］

黒野翠雲［街］

宍戸迪翠［挑］

里中梅徑［生］

佐々木　豊［心］

佐久間康之［祈］

榮　貴代［感］

柴田眞美［然］

里見麻衣子［華］

佐々木義文［義］

櫻井孝美［恕］

坂田甚内［甚］

柴山抱海［聞］

澤江抱石［省］

佐藤京子［転］

櫻井　一［信］

坂本一行［創］

渋沢　榮［和］

沢diving紙游龍［望］

佐藤　哲［感］

桜井　実【円相】

相楽富美子［知］

嶋田明子［明］

塩川吉廣［鎮］

佐藤光男［愛］

佐々木経二［浄］

崎井恵風［祈］

嶋田みどり［静］

潮見冲天［真］

佐藤由喜子［祈］

佐々木多美枝［気］

佐久間斗嶽［蘇］

関根玉振［縁］

鈴木千賀子［祈］

鈴木響泉［辿］

白水チカ子［満］

島津碧嵓［慈］

千住　博［慎］

鈴木千壽［香］

鈴木愚山［待］

菅谷有槻子［時］

清水敏夫［心］

大門正忠［熱］

鈴木南苑［念］

鈴木春朝［瓏］

杉田笙月［聖］

師村妙石［愛］

大力翠雲［秋］

鈴木缶羊［美］

鈴木昇岳［探］

枚谷彩光［彩］

白井　進［関］

髙木祥雲［絆］

澄川喜一［刻］

鈴木翠南［静］

鈴木一敬［愛］

白戸　昭［忍］

髙木聖雨［夢］

関岡昌子［波］

鈴木清蒲［露］

鈴木記久子［祈］

白鳥　勲［改］

田中　茂［凛］

武田海龍［視］

髙松邦仙［慧］

髙橋直嗣［真］

髙木泉寿［力］

田中春塘［道］

武田綾苑［聴］

髙安翔琴［進］

髙橋弘樹［想］

高桑嚴風［麟］

田中曽女［夢］

竹村　敏［再］

田口勢望［響］

髙橋美奈子［愛］

髙嶋悠光［心］

田中徹夫［健］

TAZUKO 多鶴子［神］

竹内タカ子［信］

髙橋里江［杉］

髙瀬苓泉［利］

田中葉奈［束］

多田祐子［護］

竹内治源［人］

髙林克子［慈］

髙橋郁夫［煉］

田中房子［優］

田中喜美枝［禍］

武腰敏昭［生］

髙松石華［明］

髙橋勝吉［聡］

長岡美和子［恐］

時藤歌子［春］

土橋靖子［念］

茶木静萌［越］

田中鳳柳［魚］

仲川恭司［命］

都倉龍子［仁］

續橋　守［續］

塚田俊可［風］

田辺利勝［夢］

中川美恵子［空］

冨原扇水［秋］

角田美恵子［韻］

津金孝邦［雲］

田沼汪次郎［妙］

中川祐聖［壽］

富安千鶴子［心］

テイ朱洋［龍］

辻川松月［妙］

田端芝蘭［心］

長澤幽篁［典］

鳥山　玲［洸］

手島黍六［敬］

辻野典代［生］

樽本樹邨［英］

名嘉地千鶴子［念］

内藤望山［道］

寺尾桑林［涼］

辻元大雲［寛］

千葉幽篁［環］

中吉照雄［在］

中村天馨［馥］

永峯華月［癒］

中西賢一［歩］

中島千波［存］

那谷昌雲［恕］

中村伸夫［安］

中村雲龍［樂］

長沼てい子［美］

中島敏明［明］

夏目　進［忍］

中村墨泉［暁］

中村霞城［心］

中野蕙紫［愛］

中嶌虎威［天］

那波多目功一［忍］

中森博文［魂］

中村吉伽［神］

中野北溟［美］

中條琳音［絃］

楢崎華祥［響］

中山真一［新］

中村春渓［強］

中野百合子［直］

中谷基子［人］

新妻泰江［叡］

中山忠彦［翔］

中村大郁［光］

中野嘉之［感］

中塚江里［脱］

濱田香月［雲］

橋本不双人［九］

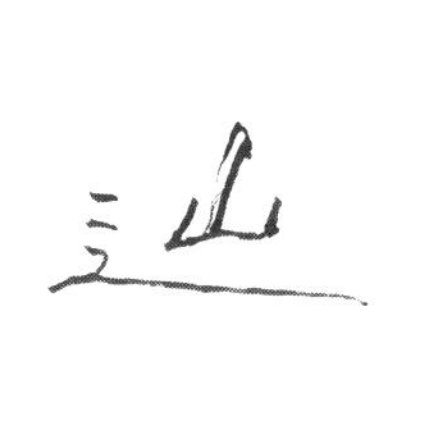
野見山暁治［辿］

根岸よしこ［悠］

西岡康雄［路］

浜田泰介［志］

長谷川恵泉［恵］

乗田祥旭［聴］

根来香翠［燻］

西川きみ枝［無］

林　幽峰［新］

羽田英彦［耐］

萩原靖子［徳］

能島和明［愚］

西田俊英［根］

東原春城［犬］

畠中光享［疫］

箸方たみ［澪］

野田杏苑［清］

西村東軒［護］

東山右徹［祈］

服部順子［佳］

橋本堅太郎［刻］

野田　保［創］

西山隆崖［還］

樋口裕子［望］

服部照琴［色］

橋本冨尾［生］

野田正行［美］

根岸白虹［雍］

坊城妙海［念］

藤原小翠［花］

藤澤千曲［絆］

福田丞洲［勝］

樋井鷹春［州］

星　弘道［龍］

二川和之［憶］

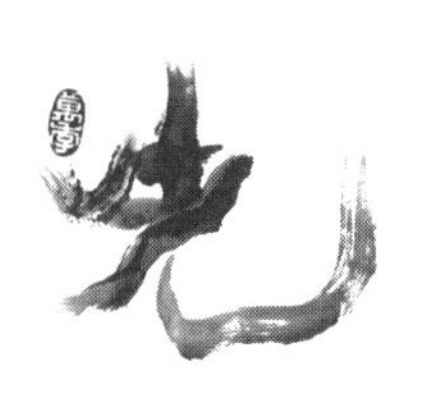
藤澤万季代［先］

福田千惠［寧］

日比野光鳳［夢］

干田晴美［今］

二見拓希［拓］

伏見智恵美［祈］

福田祥龍［笑］

日比野　実［和］

細野果村［響］

舟尾圭碩［和］

藤森兼明［叶］

ふじおか清子［新］

深瀬裕之［壽］

堀　桂葉［盡］

平樂大龕［魁］

藤森悠二［待］

藤岡月華［手］

福島瑞穂［命］

堀江宣久［子］

別府忠雄［楽］

藤原聖美［清］

藤沢古葉［優］

福嶋陸夫［念］

三森浦湖［命］

三木翠耿［祈］

松野登美子［気］

増子江南［忍］

本波棲亭［譽］

宮負丁香［望］

水野春翠［愛］

松橋功雄［絆］

増子斗仙［仁］

前田　誠［橙］

宮城あい子［愛］

水野澄篁［歩］

松本　勝［豊］

松井玲月［陽］

真壁輝男［省］

三宅相舟［笑］

三田村有純［泰］

松好明鶴［風］

松尾　治［花］

真神巍堂［仁］

宮崎葵光［道］

三井きみ子［道］

丸川幸子［花］

松下花瑤［風］

牧　京篁［夢］

宮田雲鶴［福］

皆川恭舟［情］

三木江竹［明］

松長壽美江［絆］

馬越陽子［命］

み—や

藪野　健［町］

矢代斗星［矢］

茂木緑水［生］

向井翠窓［静］

宮田記朱［命］

山内滋夫［東］

安富信也［光］

元木藤江［夢］

向山和子［恕］

宮田亮平［命］

山岡扶佐［南］

安廣清翠［墨］

森川星葉［法］

村居正之［夢］

宮平　勉［願］

山方香渓［祷］

柳　濤雪［明］

森野泰明［完］

村上俄山［俄］

宮本玄雲［梵］

山際雲峰［興］

柳澤朱篁［拙］

森脇靖之［美］

村松太子［光］

宮本沙海［書］

山口大夢［樂］

矢萩春恵［柔］

矢嶋利雄［源］

室井玄聳［穏］

三輪晃久［天］

吉澤大淳［憂］

横井宏軒［龍］

山本春英［眠］

山下正人［生］

山﨑堅司［感］

吉澤鐵之［肅］

横井正江［思］

山本信山［神］

山田宗輔［耐］

山﨑櫻蒲［風］

吉澤劉石［道］

横山菁絢［肅］

山本　貞［樹］

山田嘉彦［道］

山﨑隆夫［山］

吉田和子［禍］

横山夕葉［虹］

油井一人［蠢］

山西未那子［無］

山﨑知圭［慶］

吉田圭雪［糸］

吉岡秀月［橥］

湯川喜久雄［生］

山本　晃［灯］

山﨑知堂［望］

吉田舟汪［如］

吉澤石琥［輪］

湯原光江［光］

山本高邨［戒］

山﨑義雄［品］

吉田　聖［整］

若狭若州［夢］

渡邊芳翠［道］

吉田敏子［寂］

わたなべかづこ［彩］

渡辺墨仙［生］

吉田博子［流］

和田伊生［芽］

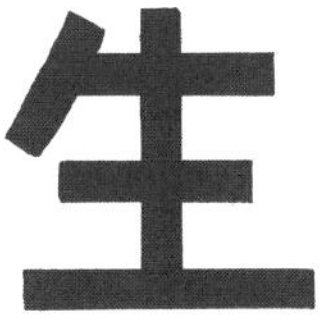
渡邊正博［生］

吉田康弘［真］

渡部華流［変］

和中簡堂［嬴］

米山石峯［迷］

渡辺啓輔［生］

若色和夫［和］

渡邊彩花［逢］

▶皆様の一文字をご自由にお書きください。

松本　勝　まつもと・まさる　日本画家　116
「心の豊かさ」を持った人間になりたい。

松好明鶴　まつよし・めいかく　書家　116
新型コロナウイルスが早く終息し平穏な日々が戻って来ます様に願っています。

丸川幸子　まるかわ・ゆきこ　洋画家　116
コロナで花屋は閉まってしまったが、ベランダの植木鉢の花は元気に咲き、元気を貰っています。

三木江竹　みき・こうちく　書家　116

三木翠耿　みき・すいこう　書家　116
甲骨文字の祈りです。一日も早い新型コロナウイルスの終息を全世界の平和を祈ります。

水野春翠　みずの・しゅんすい　書家　116

水野澄篁　みずの・ちょうこう　書家　116

三田村有純　みたむら・ありすみ　工芸家　116
桼は漆の基となる漢字です。素材の力を最大限引き出せる様今後も制作を続けます。

三井きみ子　みつい・きみこ　洋画家　116

皆川恭舟　みなかわ・きょうしゅう　書家　116

三森浦湖　みもり・ほこう　日本画家　116

宮負丁香　みやおい・ちょうこう　書家　116

宮城あい子　みやぎ・あいこ　日本画家　116
愛の力を持って臨めば如何なる困難をも必ずや乗り越えることが出来るでしょう。

三宅相舟　みやけ・そうしゅう　書家　116
人は考えて動く生きもの！ 不要不急の動きは慎みながらも、笑顔のもと臨機応変に動くべきだ！

宮﨑葵光　みやざき・きこう　書家　116

宮田雲鶴　みやた・うんかく　書家　116
新型コロナが収束し皆様へ福が来ますように。

宮田記朱　みやた・きしゅ　現代水墨画・墨アート　117
命に勝る宝なし。この世に選ばれし人として生を受け、一度の人生を悔いなく生きたい。

宮田亮平　みやた・りょうへい　工芸家　117
世界中を襲ったコロナ禍の中で「生きる」とは!!そして「命とは」何かを問うてみました。

宮平　勉　みやひら・つとむ　洋画家　117
これ以上哀しい想いをする人が出ないよう願っています。

宮本玄雲　みやもと・げんうん　書家　117
地球や人類は無限調和律に基づいて創造されているのでそれに反する環境や命は淘汰す。
書家　天号　天御祖神

宮本沙海　みやもと・さかい　日本画家・書家　117
生きるとは咲く花になる事ならん山に咲き里に咲き書でも咲け。前世光明皇后だった男。

三輪晃久　みわ・あきひさ　日本画家　117
天とは天地創造の神のいる所。山や木を描く時も天を意識して描いている。

向井翠窓　むかい・すいそう　書家　117

向山和子　むこうやま・かずこ　水墨画家　117
夫子之道　忠恕而已矣（論語）は私の座右の銘。自分の良心に忠実で他には思いやりを。

村居正之　むらい・まさゆき　日本画家　117
果てしない日本画の道、今はまだ、夢の途中であると心に銘じて今後も精進して参ります。

村上俄山　むらかみ・がざん　書家　117
郷里・福山に弘法大師ゆかりの俄山（にわきやま）という山がある。岩を杖で突くと清水が湧いたとされ、その水で書作していた。

村松太子　むらまつ・たいし　書家　117
感染禍中の今、一新される光が求められている。

室井玄聳　むろい・げんしょう　書家　117
穏やかに、ゆっくり行ったほうが、楽しいものが見える。

茂木綠水　もてぎ・りょくすい　日本画家　117
コロナステイホームにより新しい生活が始まった。コロナにも負けず毎日墨を磨っています。

元木藤江　もとき・ふじえ　刻字作家　117
コロナでこんな環境の今だから、心の中に夢を持ち、未来が良くなると信じていよう。

森川星葉　もりかわ・せいよう　書家　117
戦後75年、10才の頃が蘇えり、今日有るのは御法（みのり）の御陰、世界の色々な平和を祈りて書作。

藤森兼明　ふじもり・かねあき　洋画家　115
自信を持って企て勇気を持って行動すれば事は叶う。

藤森悠二　ふじもり・ゆうじ　洋画家　115
長いお休み、生徒さんの顔を思い浮かべつつ毎日絵筆を持った。6月ようやく皆と再会。

藤原聖美　ふじわら・きよみ　書家　115

藤原小翠　ふじわら・しょうすい　書家　115

二川和之　ふたがわ・かずゆき　現代美術作家　115
77億の民と、今を記憶に留め、臆することなく、前を向いて、笑って生きよう。

二見拓希　ふたみ・たくき　洋画家　115

舟尾圭碩　ふなお・けいせき　書家　115
「和」は、日本文化の象徴。コロナ禍にあっても忘れてはなるまい。

平樂大龕　へいらく・たいがん　書家　115
魁には安らかなさまという意味があり、世の中の安寧を願って揮毫いたしました。

別府忠雄　べっぷ・ただお　洋画家　115
娯しさ・嬉しさ・愉しさ多々あるが、絵を描いている時のたのしさは「楽」の文字のみ。

坊城妙海　ぼうじょう・みょうかい　日本画家　115
何かにぶつかる。森羅万象に思わず念じている自分がいる。念佛を唱え、念彼観音力と誦す。

星　弘道　ほし・こうどう　書家　115
「龍」は、今のように世界中が落ち込んでいる時に我々人類に勇気を与えてくれる存在。

干田晴美　ほしだ・はるみ　洋画家　115
過去、現在、未来へ時は進む。どんな時も「今」をしっかりと大切にしたいです。

細野果村　ほその・かそん　書家　115

堀　桂葉　ほり・けいよう　書家　115
佐理の詩懐紙は用筆にドラマがあります。

堀江宣久　ほりえ・せんきゅう　書家　115
道ゆく登下校の子供達の声が休校で消えた時期があり、思いがけず落ち込む自分に驚いた。

本波棲亭　ほんなみ・せいてい　書家　116
譽は誉の旧字体で、音読みではヨ、訓読みではほまれ。よい評判ほめるとの意味がある。

前田　誠　まえだ・まこと　洋画家　116
字はあまりかかないですが、オレンジのようにあたたかい所を思い書きました。

真壁輝男　まかべ・てるお　洋画家　116
来し方を振り返り、自分を見つめ直す。身辺を整理し、よけいなものを減らす。

真神巍堂　まがみ・ぎどう　書家　116

牧　京篁　まき・きょうこう　書家　116
私のモットーは「挑戦し続ければ夢は叶う！」です。

馬越陽子　まこし・ようこ　洋画家　116
全身全霊で絵の中に「いのち」を注ぎこみ、見る者へこの危機に絆と勇気、そして希望を贈りたい。

増子江南　ましこ・こうなん　書家　116
しのぶ　コロナにかからないようにじっとたえぬきましょう。

増子斗仙　ましこ・とせん　書家　116
いつくしみ、思いやり、すべての人に愛の心を持って、コロナに打ち勝とう。

松井玲月　まつい・れいげつ　書家　116
太陽の陽気を力に、今を大事に。世界が真を軸に一つになれる時。ピンチはチャンスに。

松尾　治　まつお・おさむ　書家　116
只管に一瞬一瞬を大切に筆を執り、自らを昇華させていきたいと思います。

松下花瑤　まつした・かよう　日本画家　116
天下泰平風薫る等何事にも風は必要。人間関係も密でなく心地良い風のある余裕が欲しい。

松長壽美江　まつなが・すみえ　洋画家　116

松野登美子　まつの・とみこ　洋画家　116
大気シリーズ制作中。気力で乗り切れるか。平穏な日々を願う。

松橋功雄　まつはし・こうゆう　洋画家　116
心に光、心に愛を！　人間愛深く心温かき、それが我が画道の生きざま、絆である。

茶木静萌　ちゃき・せいほう　書家　112
直面している試練は先人も幾つも越えてきました。今その時、気持ち1つに越えて行こう。

塚田俊可　つかだ・しゅんか　書家　112

津金孝邦　つがね・よしくに　書家　112

辻川松月　つじかわ・しょうげつ　書家　112

辻野典代　つじの・ふみよ　洋画家　112
この世に生をうけたことに感謝しながら
大切に生きようと思います。

辻元大雲　つじもと・だいうん　書家　112

土橋靖子　つちはし・やすこ　書家　112
どんな時であろうとも、一途に思いを込めてわが道を進む。そんな自分でありたいです。

續橋　守　つづきばし・まもる　洋画家　112
10年程前から私の名字を本来の續橋と書いてきた。以来記名する時真剣になる。

角田美恵子　つのだ・みえこ　日本画家　112
作品名に必ず韻を入れてきたが、今後もコロナをイン（封印）する気持で使用したい。

テイ朱洋　てい・しゅよう　洋画家　112
90才で絶筆「富士山昇龍」を描いた北斎の氣迫をもって、此の難局を乗り切っていこう。

手島尞六　てしま・たいりく　書家　112

寺尾桑林　てらお・そうりん　書家　112
酷暑もようやく去り秋涼の季節となりました。

時藤歌子　ときとう・うたこ　洋画家　112
時藤歌子洋画家、春が待ちどおしい。心の春がワクワクドキドキイキイキ。信じている。

都倉龍子　とくら・りゅうこ　洋画家　112

冨原扇水　とみはら・せんすい　書家　112

富安千鶴子　とみやす・ちづこ　日本画家　112
師、杉山寧画伯曰く、「古代の心にふれてごらん、歴史の真実がみえてくる、心の眼でね」と語られた。

鳥山　玲　とりやま・れい　日本画家　112

内藤望山　ないとう・ぼうざん　書家　112
物事に平坦な道はない。試練を受けて光輝く。その過程を力強く表現した。

長岡美和子　ながおか・みわこ　書家　112
見えないものへの恐れが世界中を覆いました。自分のすべき事を考えました。

仲川恭司　なかがわ・きょうじ　書家　112
命は目に見えないが、生存する上で最も大切なもの。

中川美恵子　なかがわ・みえこ　洋画家　112
空の思想。変化し続ける世の中。ありのままの心の表現に今を生きたいと思います。

中川祐聖　なかがわ・ゆうせい　書家　112

長澤幽篁　ながさわ・ゆうこう　書家　112

名嘉地千鶴子　なかじ・ちづこ　彫刻家　112
コロナ禍が一日も早く終り、世界中が元気に明るくなることを念じています。

中島千波　なかじま・ちなみ　日本画家　113

中島敏明　なかじま・としあき　洋画家　113
閉館、閉店と暗いニュースばかりの昨今の社会状勢。せめて気持だけは明るく持ちたい。

中嶌虎威　なかじま・とらたけ　日本画家　113

中條琳音　なかじょう・りんね　書家　113

中谷基子　なかたに・もとこ　洋画家　113
人と出会い人と交わり人を愛し人に学び人は支え支えられ人に観られ人に伝え人へ継ぐ。

中塚江里　なかつか・えり　書家　113

中西賢一　なかにし・けんいち　洋画家　113
一歩一歩　急がず休まず　本道を。

長沼てい子　ながぬま・ていこ　洋画家　113

中野蕙紫　なかの・けいし　書家　113

中野北溟　なかの・ほくめい　書家　113

中野百合子　なかの・ゆりこ　洋画家　113
自分に正直に生きることを、モットーに生きてきました。自分に嘘をついたら悲しすぎる。

池田桂鳳　いけだ・けいほう　書家　103

池村光琳　いけむら・こうりん　書家　103
将来の見えない現在、一筋の明りの見える道を見つけ、夢の持てる世の中になりますよう。

石井瓔子　いしい・えいこ　書家　103
世界的なコロナウイルスの感染拡大、平穏な日々を祈念するのみです。

石浦啓二郎　いしうら・けいじろう　洋画家　103
なにがあっても、とにかく誠実に生きたい。

石川善一　いしかわ・ぜんいち　洋画家　103
今の新型コロナウイルスを見ていると人間と病原菌の知恵比べ。今すぐコロナ出て行け！

石川貴啓　いしかわ・よしひろ　工芸家　103
コロナ下で、紫色の目では認識できない、もうひとつの価値を殺菌下毒効果と発見する。

井茂圭洞　いしげ・けいどう　書家　103
私のモットウを書かせて頂きました。
（徹）する

石田春窓　いしだ・しゅんそう　書家　103

石飛博光　いしとび・はっこう　書家　103

石橋鷹和　いしばし・おうわ　書家　103
意味はこころ、おもい、心に思っていること、こころざし。
一字書はその意味を端的に表現する。その強さを書してみたかった。

石橋鯉城　いしばし・りじょう　書家　103
「花」和様の風で認む
空間を生かし　筆力の充実を表現する。それには一字書がよい。
表情は爽やかに凛と　押印は一顆で締める。

石原太流　いしはら・たいりゅう　書家　103
常に新しく、清新、斬新な書を書くことをねがう。

石原つるえ　いしはら・つるえ　洋画家　103
コロナ禍で意識したのは命は一つ、人生も一回。予測不能な世界でも原始の心を生きる。

井尻鈴扇　いじり・れいせん　書家　103
価値観が劇変してしまった令和時代、個々が本当にしたい事にシフトする時が来た。

磯谷凄聴　いそがい・せいちょう　書家　103

磯島志津子　いそしま・しづこ　洋画家　103
足と心臓と出発点で成る志は心の目指す所に一歩踏み出せと言う思いの込もった文字である。

磯部童舟　いそべ・どうしゅう　書家　103

磯本明扇　いそもと・めいせん　書家　103

板垣千鶴子　いたがき・ちづこ　洋画家　104
教室休室の中、生徒さんの優しさは、私に「願い」という作品を、描かせてくれました。

市川将義　いちかわ・まさよし　書家　104
今年はコロナウイルスにより生活が一変しました。その中で今年を象徴する一字を選定。

市澤静山　いちざわ・せいざん　書家　104
コロナウイルス感染症を恐れ、「不要不急の外出の自粛」皆がそうした。私も自粛した。

一色白泉　いっしき・はくせん　書家　104

伊藤志織　いとう・しおり　洋画家　104
明るくいこう！

伊藤和青　いとう・わせい　書家　104

稲垣佐千代　いながき・さちよ　書家　104
人智をしぼって次世代が平和で安らかな時代を迎えられますように……。祈りをこめて。

犬伏萩水　いぬぶし・しゅうすい　書家　104
情報過多の時代、背を向けず積極的に聴取し、正しい情報の聞き（聴き）分けが大切だと思います。

井上杏苑　いのうえ・きょうえん　破体作家　104
雉子の跳ね上った尾羽と足の強さにより真っ直ぐ突き進む姿は活力や向上心を与えられる。

井上山遙　いのうえ・さんよう　書家　104
今まで過ごした人生の中で愛という文字に一番魅力を感じました。

井上初江　いのうえ・はつえ　日本画家　104
21世紀の世に、このようなウイルスが現れるとは驚きです。負けたくありません。

井上裕幸　いのうえ・ひろゆき　洋画家　104

井本江里　いのもと・えり　書家　104
コロナ禍のステイホームの今、一日一字を書く。よき趣味のあることうれしく、ふむふむ楽しむ。

美術の今
〜コロナ禍の表現とは〜

発行日　2020年12月10日　初版第1刷発行
定　価　本体900円+税

発行人　油井一人
発行所　株式会社 美術年鑑社
〒101-0054 東京都千代田区神田錦町3-3
TEL 03-3293-7481
FAX 03-3293-7488
http://www.art-annual.jp

編　集　年鑑編集部
印　刷　シナノ印刷株式会社

ISBN978-4-89210-228-8 C0070